映画
観るだけマスター
シリーズ

『ローマの休日』を観るだけで英語の基本が身につくDVDブック

藤田英時 Eiji Fujita

はじめに

英会話上達の最も効果的な方法は「映画で学ぶ」ことだと思います。映画で英語を学ぶと、**①楽しくて長続きする、②生きた英語が学べる、③自然な速度と発音の英語が聞ける、④英語の意味が正しく分かる**などメリットが一番多いからです。

私は、これまで数々の使えるフレーズを映画から学び、リスニング、スピーキングをブラッシュアップしてきました。それが実践で、かなり役立っています。

そこで皆様におすすめしたいのが名作**『ローマの休日』を使った英語学習法**です。学習効率と効果が最大限に上がるように、次のような工夫をこらしました。

【1】映画全編を収録したDVDつき

日本語と英語の字幕がついています。

【2】30チャプター分割

ピンポイントで頭出しができて、学習に便利です。

【3】話しているとおりの英語字幕

英語を話しているとおりに表示していますので、リスニングに役立ちます。

一般に英語字幕は簡略化されています。

【4】学習に適した日本語字幕

英語学習に適した正確な“新日本語字幕”にしています。

一般に日本語字幕は意訳、省略、誤訳が多々あります。

【5】本書に掲載の英語は、実際のセリフに忠実

英語を話しているとおりに掲載していますので、学習に役立ちます。一般にシナリオと実際のセリフは多少違っている場合があります。

【6】本書に掲載の日本語対訳は、英会話学習に最適

英文の構造や文法、表現の細かいニュアンスまで分かる日本語訳です。

【7】リスニング力がアップする音変化の解説

音変化の法則説明と、その箇所を明示しています。音変化の法則を知ると、リスニング力がかなりアップします。

【8】英会話で使えるフレーズ230をまとめて解説

セリフの中から「これは使える」というフレーズを選んで、意味や使い方、関連表現を解説しています。少し言い換えれば、応用がきいて表現の幅も広がります。

映画で英語を学ぶと言っても、映画なら何でもいいわけではありません。絶対に必要な要素は、**①ストーリーが楽しく分かりやすいこと、②何度観ても面白くて飽きないこと、③セリフの大半が日常の標準英語であること、④発音が標準的で明瞭であること。**これらをすべて兼ね備えたのが**『ローマの休日』**です。

本書の構成と内容を、簡単に説明します。

Part 1 では、『ローマの休日』英語学習法のメリット、本書とDVDの効果的な活用法、音変化の法則などについて解説しています。

Part 2 では、『ローマの休日』のセリフと日本語対訳を掲載。音変化、注目したい表現やニュアンスなどの解説を盛り込んでいます。

Part 3 では、英会話でスグに使えるフレーズ230を厳選・解説しています。

皆様も、ぜひ楽しみながら英語を学んでください。知らず知らずのうちに上達していることでしょう。本書が、そのお役に立つなら幸いです。

2016年4月　藤田英時（ふじたえいじ）

DVDをご使用になる前に

DVDについて

- DVDビデオは、映像と音声を高密度に記録したディスクです。DVDビデオ対応プレーヤーで再生してください。DVDドライブ付のパソコンやゲーム機などの一部の機種で再生できない場合があります。他の機器での再生における事故、故障などにはいっさいの責任を負いません。
- 各種再生、選択ボタンの操作は機種によって異なります。詳しくは、ご使用になるプレーヤーおよびモニター（テレビやパソコンなど）の取扱説明書をご参照ください。
- 本DVDビデオや本書において乱丁・落丁、物理的欠陥があった場合は、不良個所を確認後お取り替えいたします。必ず本書とDVDディスクをあわせてご返送ください。

取り扱い上のご注意

- ディスクは両面とも、指紋、汚れ、傷などをつけないように取り扱ってください。またディスクに大きな負荷がかかると、データの読み取りに支障をきたす場合もありますのでご注意ください。
- ディスクは両面とも、鉛筆、ボールペン、油性ペンなどで文字や絵を書いたり、シールなどを貼付しないでください。
- ひび割れや変形、または接着剤で補修されたディスクは危険ですから、絶対に使用しないでください。また静電気防止剤やスプレーなどの使用は、ひび割れの原因となることがあります。
- 使用後は、必ずプレーヤーから取り出し、DVD専用の袋やケースに収めて、直射日光が当たる場所や高温多湿の場所を避けて保管してください。
- ディスクの上に重いものを置いたり落としたりすると、ひび割れなどの原因になります。

DVD鑑賞上のご注意

- ご視聴の際は、部屋を明るくし、なるべくモニター画面より離れてご覧ください。

CONTENTS

Part 1

『ローマの休日』は最高の英会話教材！

英会話学習は『ローマの休日』1本だけでOK！

本書とDVDの効果的な活用法

特別付録

「『ローマの休日』全編収録 DVD」の使い方

付録 DVD を DVD ビデオ対応のプレーヤーやパソコンで再生すると、
「アスコムのロゴ画面」→「注意事項の画面」→「①メインメニューの画面」
へと自動的に進みます（一部の機器では再生できない場合があります）。

①メインメニューの画面

まずは字幕を選びます。
英語字幕の表示、
日本語字幕の表示、
字幕なしの３つから選びます。

「本編スタート」を選ぶと、
映画の最初から再生します。

「チャプター」を選ぶと、
「②チャプター１～15の画面」へと進みます。

「英語字幕」を選んだ後に、機器によりましては日本語字幕が出てしまうことがございます。機器の設定が原因の場合がございますので、恐れ入りますが、メーカーにお問い合わせいただくか、弊社ホームページをご覧ください（http://www.ascom-inc.jp/ にアクセスし、左下の「お知らせ」をクリックしてください）。

②チャプター1～15の画面

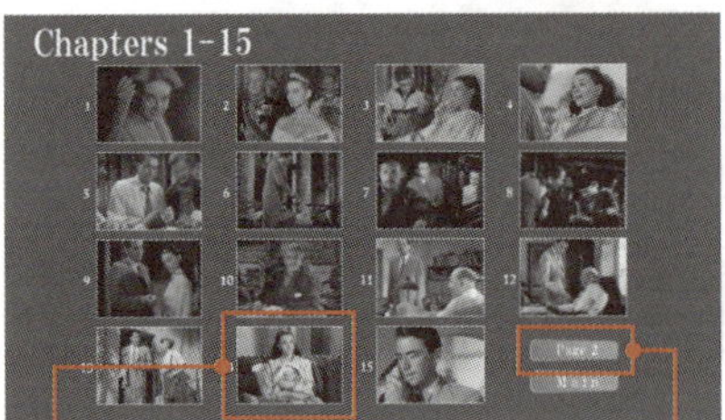

観たいチャプターの画面を選ぶと、
そこから再生します。

「Page 2」を選ぶと、
「③チャプター 16 ～ 30 の画面」へと
進みます。

③チャプター16～30の画面

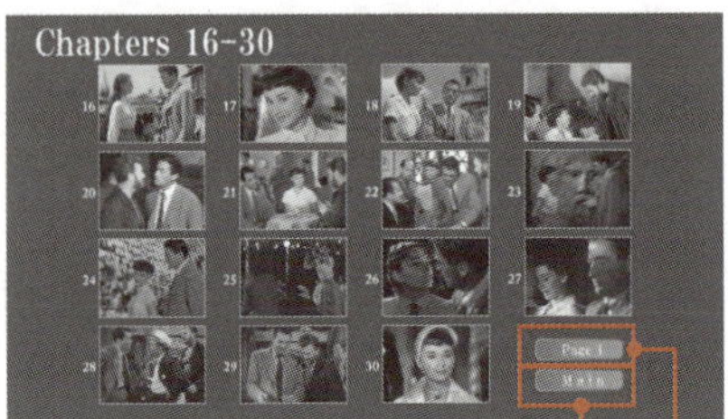

「Main」を選ぶと、
「①メインメニューの画面」へと
戻ります。

「Page 1」を選ぶと、
「②チャプター１～15の画面」へと戻ります。

※チャプターで各シーンを選択した際、機器によって冒頭の字幕表示のタイミングが異なる場合があります。ご了承ください。

Part 1

『ローマの休日』は最高の英会話教材！

英会話学習は『ローマの休日』1本だけでOK！

1 ストーリーがだんぜん面白い！
2 スグに使えるフレーズが満載！
3 標準発音でリスニング力とスピーキング力が大幅アップ！

本書とDVDの効果的な活用法

- 5つのステップで効果的に学習する！
- こうすればリスニング力がみるみるアップ！
- こうすればスピーキング力もぐんぐんアップ！
- さらにスピーキング力をアップさせる方法

「音変化ルール」を知れば、面白いほど英語が聞き取れるようになる！

- 映画のセリフはなぜ聞き取れない？
- 音変化の7つのルールを知る！
- 『ローマの休日』ではこう話されている！

『ローマの休日』を字幕なしで観る極上の楽しみ

英会話学習は『ローマの休日』1本だけでOK！

実生活に必要な生きた本物の英会話、それを効果的に習得できるのが「英語が上達する映画」です。その中でも『ローマの休日』が教材として最高です。

これ1本だけで基本的な英会話をマスターすることができるからです。

その理由は、次のとおりです。

1 ストーリーがだんぜん面白い！

2 スグに使えるフレーズが満載！

3 標準発音でリスニング力とスピーキング力が大幅アップ！

以下で、1つ1つを詳しくご説明しましょう。

1 ストーリーがだんぜん面白い！

『ローマの休日』は、ロマンチック・コメディで、ドタバタ喜劇、メロドラマ、女性の成長、男同士の友情、冒険、ファンタジーなど、あらゆる要素が盛り込まれています。

この映画を私は何回観たか分かりませんが、いつ観てもストーリーに引き込まれます。練りに練られた脚本、役者たちの名演技などに感心します。

学習上のメリット

★楽しみながら学習できる

★面白いので長続きして必ず上達する

★飽きたり、挫折したりすることがない

2 スグに使えるフレーズが満載！

この映画1本で、英会話の基本フレーズがマスターできると言っても過言ではありません。お手本となる定番フレーズが満載で、出会いから、お礼、お詫び、自分と人の紹介、日常生活、仕事、プライベート、恋愛、お別れまで、イキイキとした表現がひととおり学べます。

いろいろな表現が、どんな場面で、どんなタイミングで、どんな意味で使われているかが映像で観て分かり、その場にいるような感じで学ぶことができます。

学習上のメリット

★リアルでイキイキとした英語が学べる
★場面や状況に合った表現が正しい発音で聞ける
★映像と音声の効果で、臨場感あふれる学習ができる

スグに使えるフレーズの例

I almost forgot.	忘れるところでした。
I couldn't agree with you more.	君には大賛成。
I wish I could.	そうできればいいのですが。
I'll call you tonight.	今晩電話するよ。
I'll pick this one up.	ここは僕が払うよ。
I'll see you later.	じゃ、また後で。
I'm so glad that you could come.	おいでいただき、とても嬉しく思います。
I'm too tired to sleep.	疲れすぎて眠れないわ。

3 標準発音でリスニング力とスピーキング力が大幅アップ！

映画全般を通じて、英語は**標準的な発音**で話されています。**話し方は明瞭で、そのスピードも適切**です。**発音のお手本**としては最適です。

アン王女（オードリー・ヘップバーン）は、イギリス系の上品で美しく分かりやすい英語を話しています。新聞記者（グレゴリー・ペック）は、標準のアメリカ英語（西海岸）で、優しさあふれるきれいな英語を話しています。

その他、伯爵(はくしゃく)夫人や駐伊(ちゅうい)大使などは、質のよいイギリス英語（アン王女よりもイギリス風）、カメラマンとローマ支局長は、標準のアメリカ英語（東海岸）を話しています。タクシーの運転手、大家、美容師は、イタリア語なまりのカタコト英語を話しています。

学習上のメリット

★いろいろな人の生の発音が聞けるので、あらゆる英語が聞き取れるリスニング力がつく
★ネイティブが話す自然なスピード・リズム・発音が身につく
★お手本の発音をマネすればスピーキング力もアップする

きれいな発音で程よいスピードで話されているフレーズ例

【アン王女の記者会見でのセリフ】

ANN: **Rome! By all means, Rome! I will cherish my visit here, in memory, as long as I live.**

【アパートでジョーがアンに対して言うセリフ】

JOE: **Why? What's your hurry? There's lots of time.** ⇒ 162 p.269

【スペイン階段でのジョーとアンのセリフ】

JOE: Weeell, it's you!
ANN: Yes, Mr. Bradley!
JOE: Or is it?
ANN: Do you like it?

本書とDVDの効果的な活用法

本書とDVDを使って、次のように学習すると効果的です。

●5つのステップで効果的に学習する！

①日本語字幕で観て、映画を楽しむ

『ローマの休日』を初めて観る方やストーリーをよく知らない方におすすめ

▶ストーリーを把握していれば、英語についていく余裕が生まれるから

②英語字幕で観て、英語を確認する

英語の速さに目と耳が追いつかなくても大丈夫！

▶英語だけの世界に慣れれば十分

③字幕を完全に消し、英語音声だけを頼りに、どれだけ聞き取れるのかを確かめる

ここでは耳だけで内容をおさらい

▶②よりも聞き取れない部分が増えても問題ない

④本書掲載のセリフを見て、分からなかった部分を確認する

本書の該当部分にマークするといい

▶この後、②に戻って英語字幕を表示して観るのも効果的

⑤英語音声だけで観て、映画を楽しむ

全体の7割以上が聞き取れるようになることを目標に

▶さらに聞き取れれば、もっと楽しめる！

以上は、大まかな流れです。次にリスニング力とスピーキング力をそれぞれ強化するステップを紹介しましょう。

●こうすればリスニング力がみるみるアップ！

英語は聞き流すだけでは聞き取れるようにはなりません。次のようにして細かく聞く練習を重ねましょう。着実にリスニング力がアップします。

①好きなシーンを選んで字幕なしで観る

負担がないように10分間くらいに区切って観る

▶知っている単語や語句を聞き取れるようにする

②聞き取れない部分を繰り返し聞く

リズムをとらえて強弱の、特に“弱”の部分に注意する

▶音の変化を注意してとらえる（⇒P21）

③どうしても聞き取れない部分は日本語字幕を見る

セリフの意味が分かると聞き取れることがある

▶字幕を自分で英訳してみてから、単語や語句を聞き取ってみるのも効果的

④それでも聞き取れないなら英文を見る

英文（英語字幕や本書掲載のセリフ）見るのは、あくまで最後に！

▶英文を見ながらセリフを聞く

⑤なぜ聞き取れなかったのかを調べる

「発音が弱いから」「つづりとはかけ離れた発音をしていたから」「知らない単語が使われていたから」など、理由は様々

▶聞き取れなかった部分を明らかにし、なぜ聞けなかったのかを分析する

▶次からは、あるいは同様の発音がある別のシーンでは必ず聞き取れるようにする

このように、集中的にリスニングをして、自分の弱点を知って、それを克服していけば、リスニング力がメキメキとアップします。

さらに上達を目指すなら、英語を聞いて書き取る「ディクテーション（dictation）」がおすすめ。専用の書き取りノートを用意して、次のように行います。

①好きなシーンを選んで字幕なしで観る

有名なセリフや会話などで使えるセリフを選んで聞く

▶負担がないように、最初は数行のセリフでもOK

②セリフをノートに書き取っていく

音変化などを聞こえたとおりに書いていく

▶ going to を gonna のように「発音つづり」で書いてもいい

③どうしても聞き取れない部分は空白にしておく

冠詞や前置詞、代名詞などは弱く発音されるので、要注意！

▶音変化の部分など聞き取れない部分は空白にする

④書き取った英文と実際のセリフを比べる

一字一句英文と比べる

▶英文を見たら「な～んだ、自分はこんな簡単な英語も聞き取れなかったの？」と拍子抜けするセリフも案外多い！

⑤空白部分はなぜ聞き取れなかったのか調べる

「発音が弱い」「音が変化しすぎ」「単語が知らない」など、原因は様々

▶確認した部分は、次回や同様の発音をする別のシーンでは必ず聞き取れるようにする

地味な作業ですが、リスニング力は確実に身につきます。電車の中やBGM感覚などで何となく英語を聞いていても一向にリスニング力は上がりません。この方法なら確実にリスニング力がアップします。

●こうすればスピーキング力もぐんぐんアップ！

英語のリズムや発音の変化に気をつけてセリフを聞き続けていれば、英語のリズムや発音が耳に残ります。それをマネして話せば、ネイティブのような感じになりスピーキング力がアップします。

①短いシーンを選ぶ

有名なセリフや、会話などで使いたいセリフを選ぶ

▶負担がないように、最初は数行のセリフでもいい

②セリフを繰り返し聞く

スピード、リズム、発音の変化を覚え込む

▶セリフを暗記するくらいに聞く

③実際にマネて発音する

スピード、リズム、発音の変化をそのまま発音する

▶モノマネのようにそっくりに近づけると、さらに効果的

④音声を消して俳優の口にあわせて発声する

セリフを暗記してしまうくらいに、繰り返す

▶実際に俳優や女優になりきって話すと楽しい！

●さらにスピーキング力をアップさせる方法

リスニング力はスピーキング力と表裏一体です。自分で正しく発音できれば、問題なく聞き取ることができるからです。

次のようなトレーニングをすればスピーキング力が大幅に上がります。

1 リピーティング　repeating

英語を聞いた後に、聞いたセリフをそっくりマネて言う。やや大きめの声で、速度、リズム、抑揚（よくよう）、間（ま）のとり方などをそっくりマネるつもりで行うのがコツ。

これをひたすら繰り返す。何度も練習すると、英語らしい話し方になってくる。

2 オーバーラッピング overlapping

英文を見ながら、聞こえてきたセリフにかぶせるようにして同時に音読していく。リズム、抑揚、間など聞いた英語と同じように言えるまで何度も練習する。すると、英語らしい発音やリズムなどが身につく。

3 シャドウイング shadowing

英文を見ないで、耳だけをたよりにして聞いたセリフを繰り返して言う。

聞き取れなかった部分は飛ばして、すぐ次の英語を繰り返して言う。

かなり難しいので、初めは簡単なセリフで何度も練習してコツをつかむといい。すると、耳と口が同時にきたえられる。

4 レシテーション recitation

本書掲載のセリフをもとに、英文を暗唱する。気に入ったセリフを何度も何度も音読し、暗唱できるようにする。

英会話でよく使う単語や表現、さらには文を丸ごと覚えることができるので、言いたいことがすぐに言える力もつく。もちろん、きれいな発音もできるようになり、リスニング力も上がる。一石三鳥の練習法！

「音変化ルール」を知れば、面白いほど英語が聞き取れるようになる！

●映画のセリフはなぜ聞き取れない？

一般的に**「英語の映画」のセリフを分析してみると、8割くらいは中学英語**です。中学で学ぶ必修語彙（ごい）と基本語彙で約1500語の範囲なので、**使われている単語は、大半の人が知っているものばかり**です。**『ローマの休日』にいたっては、9割以上**です。

しかし、聞き取れなかったり早口に聞こえたりするのは、英語独特の発音やリズムが原因です。弱く素早く発音される部分があったり、2つの単語が続くことで発音が変化したりしているためです。

文字を見れば知っている簡単な英語でも、実際の発音はかなり違います。英語独特の音の変化がいくつもあるからです。

例えば、『ローマの休日』のスペイン階段のシーンで、ジョーがアンに対して「今日は休みにするよ」と言うセリフ。⇒ p.152

音変化なし：***Today is going to be*** **a holiday.**
音変化あり：**Today's gonnabi a holiday.**

このように、音変化があるのとないのとでは大きな違いがあります。

英語にはこうした音変化がたくさんあるにもかかわらず、その知識が私たちには欠けています。だから、聞き取れないのです。**逆に、その知識があれば、かなり聞き取れるようになります。**

●音変化の7つのルールを知る!

この音変化は「英語音声学」(英語の音、発音のしかた、聞こえ方などを研究する言語学)で研究・解説されています。

私は大学で英語でのコミュニケーションを専攻し、「英語音声学」を学びました。その知識とこれまでの経験を基にして、音変化を親しみやすく分かりやすくするために分類しました。それが次の**「音変化の7つのルール」**です。

第1ルール **音が弱くなる**
第2ルール **音が短くなる**
第3ルール **音がつながる**
第4ルール **音が消える**
第5ルール **音が抜け落ちる**
第6ルール **音がとなりの音に似る**
第7ルール **音が別の音に変わる**

●『ローマの休日』ではこう話されている!

まずは、「音変化の7つのルール」の内容と、よく起きる音変化の例を説明します。そして、具体例を『ローマの休日』のセリフにあてはめてみます。

音変化のつづりは「発音つづり」と言い、実際の発音を表しています。本書では、一般に使われている「発音つづり」に加えて、便宜上、私が独自に考案したものも使っています。

第 1 ルール 音が弱くなる

英語では、すべての音がはっきりと発音されるわけではなく、弱くなる音があります。さらに弱くなって消えることもあります。

「音が弱くなる」例

tell him ⇒ tell 'im [h] が弱くなる

ask her ⇒ ask 'er [h] が弱くなる

what he ⇒ what 'e [h] が弱くなる

let them ⇒ let 'em [th] が弱くなる

something ⇒ somethin', some'm [g] と [th] が弱くなる

『ローマの休日』の例

⇒ p.90

JOE:I've *got them* right here, somewhere.
⇒ I've got 'em right here, somewhere.

第 2 ルール 音が短くなる

英語では、音が短くなることがあります。語の音が弱く発音されて一部が消えてしまったり、特定の語と語がつながって発音の一部が省略されたりするからです。

「音が短くなる」例

I am ⇒ I'm

I will ⇒ I'll

I have ⇒ I've

I would ⇒ I'd

『ローマの休日』の例 ⇒ p.118

JOE: *What is* your hurry? *There is* lots of time.

⇒ What's your hurry? There's lots of time.

第3ルール 音がつながる

英語では、語句の音と音がつながって発音されることがよくあります。特に子音と母音の組み合わせでは音がつながります。

そのほうが自然で言いやすいからです。

「音がつながる」例

[r]＋母音 **are all ⇒ areall**

[n]＋母音 **sign up ⇒ signup**

[d]＋母音 **find out ⇒ findout**

[t]＋母音 **at all ⇒ atall**

『ローマの休日』の例 ⇒ p.150

ANN: Maybe *another hour.*

⇒ Maybe another'our.

第4ルール 音が消える

英語では、単語の中の音が消えることが多々あります。

あいまい母音（弱い発音の母音）や英語のリズムの関係、[n] の後に [t] が続くなどの音の組み合わせの中で、発音しやすいように消えてしまうのです。

「音が消える」例

twenty ⇒ twen'y
exactly ⇒ exac'ly
certain ⇒ cert'n
doctor ⇒ do'tor
outside ⇒ ou'side
appreciate ⇒ 'ppreciate

『ローマの休日』の例 ⇒ p.232

JOE: No, *how about* this?
⇒ No, how 'bout this?

第5ルール 音が抜け落ちる

英語では、自然に話されるときに、単語と単語のつながりにおいて音が抜け落ちてなくなってしまうことが多々あります。同じ音や似た音を２度言うのは言いにくいので１つになったり、英語の強弱のリズムのせいで自然と音が抜け落ちたりするからです。

しかし、ただ抜け落ちるだけではなく、その場所に一瞬の間が空きます。

「音が抜け落ちる」例

[m]+ [m] で前の音 [m] が抜け落ちる	**some more ⇒ so' more**
[k] +[k] で前の [k] が抜け落ちる	**take care ⇒ ta' care**
[g] +[d] で [g] が抜け落ちる	**big deal ⇒ bi' deal**
[d] +[t] で [d] が抜け落ちる	**hard time ⇒ har' time**
[d] +[p] で [d] が抜け落ちる	**good place ⇒ goo' place**

『ローマの休日』の例

⇒ p.158

JOE: Irving! Well, am I *glad to* see you!
⇒ Irving! Well, am I gla' to see you!

第6ルール 音がとなりの音に似る

英語には、音がとなりの音に似ることがたくさんあります。ある音が、となりの音の影響を受けて、その音に似たり、同じ音になったりするケースがかなりあります。

「音がとなりの音に似る」例

[n] が [th] に影響を与え同じ [n] の音になる	**down there ⇒ down 'ere**
[k] が [v] に影響を与えて [f] になる	**of course ⇒ off course**
[t] が [v] に影響を与えて [f] になる	**have to ⇒ hafto**

『ローマの休日』の例

⇒ p.156

JOE: Must be quite a life you have *in that* school…
⇒ Must be quite a life you have in 'at school…

第7ルール 音が別の音に変わる

英語では、自然に話されるときに、となりあった2つの音が互いに影響を与え合って第3の音（別の音）を作り出すことが多々あります。となりあった2つの音を続けて発音すると、口の構えから自然に別の音になるからです。

「音が別の音に変わる」例

did you ⇒ didju
makes you ⇒ mak'shu
takes you ⇒ tak'shu
give me ⇒ gimme
let me ⇒ lemme
going to ⇒ gonna
want to ⇒ wanna
want a ⇒ wanna

『ローマの休日』の例 ⇒ p.94

HEN: Oh, I think I know the *dress you* mean.
⇒ Oh, I think I know the dreshu mean.

実際のセリフの音変化

ここでは音変化の例を少しだけ紹介しましたが、実際のセリフの音変化については本書のPart 2を参照してください。

セリフ中の音変化部分は、それぞれの語句の下に「発音つづり」で示しています。また、右ページの横に、そのページの音変化と説明をまとめています。

こうした音変化に気をつけながら映画を観ると、リスニング力がかなり養われます。

『ローマの休日』を字幕なしで観る極上の楽しみ

日本では外国映画には字幕がつくのが主流です。しかし、字幕を通して観ただけでは、本当に映画を鑑賞したとは言えません。制限が多い字幕ではセリフの３分の１くらいしか日本語になっていませんし、意訳も多く、あらすじが分かる程度のものだからです。

英語を勉強している人なら誰しも「字幕なしで映画を楽しみたい！」と思ったことがあるでしょう。それができると、映画の本当のストーリーや世界観が味わえますから。しかも、英語を英語のままで理解するのはとても楽しいものです。セリフのすべてが分かり、ニュアンスが分かり、ジョークが分かり、ダブル・ミーニングが分かると、ネイティブと同じように笑ったり泣いたりして感動することができます。この『ローマの休日』を字幕なしで観ることができれば、極上の楽しみとなるでしょう。

『ローマの休日』ではダブル・ミーニングがたくさん用いられています。２重の意味、つまり掛け言葉です。出てくる順番に挙げます。

- **swallow**　「呑み込む」と「理解する」 ⇒ p.94
- **spill**　（液体を）「こぼす」と（秘密を）「もらす」 ⇒ p.164
- **slip**　「すべる」と「口をすべらす」 ⇒ p.166
- **hurt**　「傷つく」と「困る」 ⇒ p.166
- **grand**　「素敵な」と「１０００ドル」 ⇒ p.180
- **development**　（事業）の「開発」と（写真）の「現像」 ⇒ p.194
- **shave**　「ヒゲを剃る」と「危機一髪」 ⇒ p.222

これらは英語を英語のままで理解してこそ味わえる面白さです。実際にそのシーンを観て、チェックしてみてください。おもわずニヤリとするはずですから！

Part 2

『ローマの休日』をチャプターごとに攻略する

各ページの誌面の例

役者が話しているとおりに、英語（一部はイタリア語など）のセリフを全部掲載しています。役者名は3文字に省略していますが、英文の始まる位置が同じになるため、英文が読みやすくなっています。**ANN** はアン王女、**JOE** は新聞記者のジョー、**IRV** はカメラマンのアービングです。その他については、すぐ右側にある日本語対訳の冒頭に、その人物名が書かれています。

Part 3 に掲載のフレースの中で、どれに該当するのかを、掲載ページも含めて記載。フレーズの詳細をすぐに確認できます。

Part 1 で解説した**「音変化の7つのルール」**をもとに、英語独特の音の変化をセリフの中からピックアップしています。

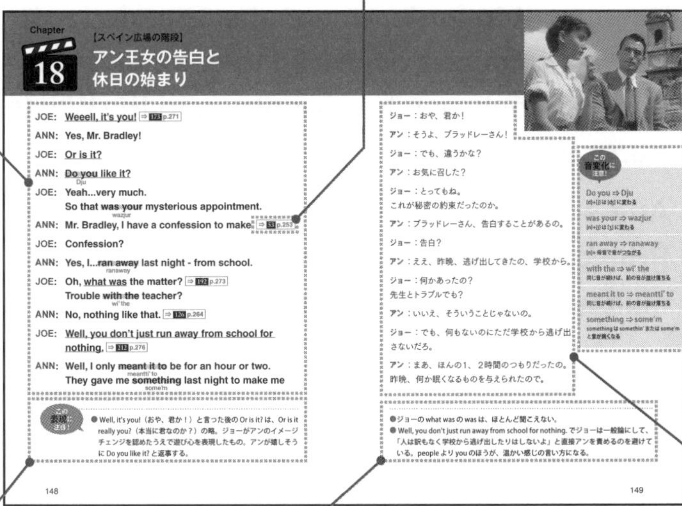

Chapter 18
【スペイン広場の階段】
アン王女の告白と休日の始まり

JOE: Weeell, it's you! ⇒ 173 p.271
ANN: Yes, Mr. Bradley!
JOE: Or is it?
ANN: Do you like it? (Dju)
JOE: Yeah...very much.
So that was your (wazjur) mysterious appointment.
ANN: Mr. Bradley, I have a confession to make. ⇒ 53 p.253
JOE: Confession?
ANN: Yes, I...ran away (ranaway) last night - from school.
JOE: Oh, what was the matter? ⇒ 192 p.273
Trouble with the (wi' the) teacher?
ANN: No, nothing like that. ⇒ 126 p.264
JOE: Well, you don't just run away from school for nothing. ⇒ 212 p.276
ANN: Well, I only meant it to (meantti' to) be for an hour or two.
They gave me something (some'm) last night to make me

この表現に注目！
● Well, it's you!（おや、君か！）と言った後の Or is it? は、Or is it really you?（本当に君なのか？）の略。ジョーがアンのイメージチェンジを認めたうえで遊び心を表現したもの。アンが嬉しそうに Do you like it? と返事する。

148

ジョー：おや、君か！
アン：そうよ、ブラッドレーさん！
ジョー：でも、違うかな？
アン：お気に召した？
ジョー：とってもね。
これが秘密の約束だったのか。
アン：ブラッドレーさん、告白することがあるの。
ジョー：告白？
アン：ええ、昨晩、逃げ出してきたの、学校から。
ジョー：何かあったの？
先生とトラブルでも？
アン：いいえ、そういうことじゃないの。
ジョー：でも、何もないのにただ学校から逃げ出さないだろ。
アン：まあ、ほんの1、2時間のつもりだったの。
昨晩、何か眠くなるものを与えられたので。

この音変化に注意！
Do you ⇒ Dju
was your ⇒ wazjur
ran away ⇒ ranaway
[n]+母音で音がつながる
with the ⇒ wi' the
同じ音が続けば、前の音が抜け落ちる
meant it to ⇒ meantti' to
同じ音が続けば、前の音が抜け落ちる
something ⇒ some'm
somethingはsomethin'またはsome'mと音が短くなる

●ジョーの what was の was は、ほとんど聞こえない。
● Well, you don't just run away from school for nothing. でジョーは一般論にして、「人は訳もなく学校から逃げ出したりはしないよ」と直接アンを責めるのを避けている。people より you のほうが、温かい感じの言い方になる。

149

覚えておくと便利なフレーズ、語句、セリフの真の意味などを解説しています。

左側の英文（一部はイタリア語など）の日本語対訳はこちら。文の構造や文法、セリフの細かいニュアンスまで分かる和訳になっているので英語学習に最適です。

Chapter 01

【ニュース映画】

アン王女のヨーロッパ親善旅行

COM.: Paramount News brings you a special coverage of Princess Ann's visit to London, the first stop on her much publicized goodwill tour of European capitals.

bringzju

She gets a royal welcome from the British, as thousands cheer the gracious young member of one of Europe's oldest ruling families.

graciousjoung

After three days of continuous activity and a visit to Buckingham Palace, Ann flew to Amsterdam where Her Royal Highness dedicated the new International Aid Building and christened an ocean liner.

dedicate' the

anocean

Then went to Paris, where she attended many official functions designed to cement trade relations between her country and the Western European nations.

designe' to

And so to Rome, the Eternal City, where the Princess' visit was marked by a spectacular military parade, highlighted by the band of the

An' so

この表現に注目！

● "Paramount News" はニュース映画。当時、映画上映の前に必ずニュースを流していた。アン王女の親善旅行の映像は、観客が映画の本編ではなくニュース映画と思わせるためのお遊び的な演出。

解説者：パラマウント・ニュースが皆様にアン王女ロンドンご訪問の特報をお送りします。広く報じられたヨーロッパ各国の首都への親善旅行における最初の訪問地です。

何千もの人々が声援を送る中、ヨーロッパ最古の王室の一員で、若くて優雅な王女は、イギリス国民から大歓迎を受けました。

３日間にわたる一連のご公務とバッキンガム宮殿へのご訪問の後、アン王女は空路でアムステルダムへ。そこで国際救援ビルの完成式に臨み、遠洋船の命名を行われました。

それからパリをご訪問。自国と西欧諸国との貿易関係強化に向けて数々の公式行事に出席なさいました。

そして永遠の都ローマへ。王女のご訪問は壮観な軍事パレードで迎えられ、狙撃連隊の音楽隊で最高潮に達しました。

この音変化に注意！

brings you ⇒ bringzju
[z]+[j] は [ʒ] に変わる

gracious young ⇒ graciousjoung
[s]+[j] は [ʃ] に変わる

dedicated the ⇒ dedicate' the
似た音が続くと、前の音が抜け落ちる

an ocean ⇒ anocean
[n]+ 母音で音がつながる

designed to ⇒ designe' to
似た音が続くと、前の音が抜け落ちる

And so ⇒ An' so
And は an' や 'n' のように弱くなる

- Rome, the Eternal City（永遠の都ローマ）は、『ローマの休日』の舞台。イタリアですべて撮影・製作された初のアメリカ映画。
- アン王女を演じたオードリー・ヘップバーンは、1953年度のアカデミー賞で最優秀主演女優賞を受賞。

crack Bersaglieri Regiment. The smiling young Princess showed no sign of the strain of the week's continuous public appearances. And at her country's Embassy that evening, a formal reception and ball in her honor was given by her country's Ambassador to Italy.

strainof

この**表現**に注目！

●ニュースの解説者は、アン王女のことを Princess Ann, Ann, She, Her Royal Highness（妃殿下）, the Princess, the smiling young Princess と使い分けている。英語では同じ単語の繰り返しをさけ、同じ意味で別の単語を用いるのがよいとされている。

王女は終始微笑みをたたえられ、１週間にわたる公式行事にもお疲れはお見せになりませんでした。そしてその夜、自国の大使館において、王女の公式歓迎会と舞踏会が駐伊大使主催で開催されました。

この**音変化**に注意！

strain of ⇒ strainof

[n]+ 母音で音がつながる

● ball は「正式な舞踏会」のことで、私的なものは dance を使う。「宴会場」は ballroom で「社交ダンス」は ballroom dancing と言う。ball には「楽しいひと時」という意味もあり、Have a ball. で「楽しんで」。We had a ball at the event.（行事で楽しい時を過ごした）。

Chapter 02

【イタリア大使館・接見室】

アン王女の公式歓迎会・舞踏会

M.C.: *Sua Altezza Reale* - Her Royal Highness.
His Excellency, the Papal Nuncio, Monsignor Altomonte.

ANN: *Eccellenza, piacere di conoscerLa.*

ALT: *Grazie della bonta di vostra Altezza Reale... grazie.*

M.C.: Sir Hugo Macey de Farmington.

ANN: Good evening, Sir Hugo.
Goodevening

HGO: Good evening, Your Royal Highness.
Goodevening

M.C.: His Highness, the Maharajah of Khanipur, and Rajkumari.

ANN: I'm so glad that you could come. ⇒ 85 p.258
gla' thatju

RAJ: Thank you.

MAH: Thank you, Madam.

M.C.: Freiherr Erika Messingfroner, Bergensfold.

この表現に注目！

●アン王女は、英語、イタリア語、ドイツ語を使い分けてあいさつしている。発音はとてもきれい。I'm so glad that you could come. は、非常にていねいな言い方。

式部官：*王女殿下です。*王女殿下です。
ローマ教皇大使アルトモンテ閣下。

アン：*閣下、お会いできて光栄です。*

教皇大使：*ご親切にありがとうございます、王女殿下…ありがとうございます。*

式部官：ファーミントンのヒューゴ・マーセー卿。

アン：こんばんは、ヒューゴ卿。

ヒューゴ卿：こんばんは、王女殿下。

式部官：カニプール州の殿下と妃殿下。

アン：おいでいただき、とても嬉しく思います。

妃殿下：感謝します。

殿下：ありがとうございます、王女様。

式部官：バルゲンファードのエリカ・ミシンファーラ卿。

この音変化に注意！

Good evening ⇒ Goodevening
[d]+ 母音で音が**つながる**

glad that ⇒ gla' that
似た音が続くと、前の音が**抜け落ちる**

that you ⇒ thatju
[t]+[j] は [tʃ] に**変わる**

●舞踏会のシーンでは本物のイタリアの貴族が出演した。その出演料はチャリティに寄付された。

ANN: *Guten Abend.*

M.C.: Prince Istvar Barlossy Nagyvaros.

ANN: How do you do? ⇒ 32 p.250
dju

M.C.: Ihre Hoheit der Furst und die Furstin von und zu Lichtenstichenholz.

ANN: *Guten Abend. Freut mich sehr.*

M.C.: Sir Hari Singh and Khara Singh...

ANN: ...so happy... ⇒ 138 p.266

M.C.: The Count and Countess von Marstrand.

ANN: Good evening, Countess. Good evening.
Goodevening Goodevening

M.C.: Senore and Senora Joan de Camoes.

ANN: Good evening.
Goodevening

M.C.: Hassan El Din Pasha.

ANN: How do you do? ⇒ 32 p.250
dju

AMB: Your Highness.

ADM: *E per carita voglio assolutamente morire sulla nave, si...perche...perche...*

この表現に注目！

● How do you do? は、初対面のときのフォーマルなあいさつだが、アンは How dju do? とカジュアルな発音をしている。

アン：*こんばんは。*

式部官：イスバル・バロシー王子。

アン：はじめまして。

式部官：リヒテンシュティッヒェンホルツ大公閣下ご夫妻。

アン：*こんばんは。光栄です。*

式部官：ハリ・シン卿ご夫妻…

アン：…とても嬉しく思います…

式部官：マーストランド伯爵ご夫妻。

アン：こんばんは、伯爵夫人。こんばんは。

式部官：カモーシュのジョアンご夫妻

アン：こんばんは。

式部官：エル・ディン・パシャ卿

アン：はじめまして。

大使：王女殿下。

海軍大将：*私は絶対わが艦上で死にとうございます…ええ、と申しますのも…*

この音変化に注意！

do you ⇒ dju
do は弱くなって [d] だけになる
[d]+[j] は [dʒ] に変わる

Good evening ⇒ Goodevening
[d]+ 母音で音がつながる

● so happy は「たいへん嬉しく思います」「光栄です」といった意味。王室の人たちなどが使う。I'm so happy to meet you. の略。

Chapter 03

【イタリア大使館・アン王女の寝室】

アン王女のヒステリー

ANN: I hate this nightgown. I hate all my nightgowns, and I hate all my underwear, too. ⇒ 52 p.253
an' I

CTS: My dear, you have lovely things. ⇒ 216 p.277

ANN: But I'm not two hundred years old. ⇒ 82 p.257
Why can't I sleep in pajamas? ⇒ 198 p.274
can' I

CTS: Pajamas!

ANN: Just the top part.
to' par'
Did you know there are people who sleep with absolutely nothing on at all?

CTS: I rejoice to say that I did not.

ANN: Listen!

CTS: Oh, Ann, your slippers! Please put on your slippers and come away from the window.
fr'm
⇒ 131 p.265
Your milk and crackers.
milkan' crackers

ANN: Everything we do is so wholesome.

この表現に注目！

● I'm not two hundred years old.（私は200歳ではないのよ）は、かなり大げさだが、「私は年寄りではない」という意味の表現。ユーモアを交えて「自分はまだ若い」と言いたいときに使える。
● sleepの発音は、かなり速いためkeepのように聞こえるが、ちゃんとsleepと発音されている。

アン：この寝巻きは嫌い。私の寝巻きはどれも嫌い。下着も。

伯爵夫人：まあ、ご立派なものをお持ちですよ。

アン：でも私は200歳じゃないのよ。
なぜパジャマで寝てはいけないの？

伯爵夫人：パジャマだなんて！

アン：その上だけを。
何も着ないで寝る人がいるって知ってた？

伯爵夫人：幸いにも存じませんでした。

アン：聞いて！

伯爵夫人：まあ、スリッパを！　スリッパをお履きになって窓からお離れに。
ミルクとクラッカーです。

アン：私たちがするのは、健康によいことばかりね。

この音変化に注意！

and I ⇒ an' I
and は an' や 'n' のように弱くなる

can' t I ⇒ can' I
[n]+[t] で [t] が抜け落ちてつながる

sleep が聞き取りにくいので注意

top part ⇒ to' par'
同じ音が続くと前の音が消える
単語の最後の破裂音は消える

from ⇒ fr'm
for は [f] と弱くなる

milk and crackers ⇒ milkan' crackers
and は an' や 'n' のように弱くなる

● Your milk and crackers. は、欧米では子どもが寝る前にミルクを飲ませる習慣があることから。これはアン王女がまだ子どもっぽいことを表現している。大人の女性に成長する前の重要な伏線（⇒ P206, P217）。

CTS: They'll help you to sleep.

ANN: I'm too tired to sleep, cannot sleep a wink.
tire' to
⇒ 89 p.258

CTS: Now, my dear, if you don't mind, tomorrow's schedule - or "schedule" - whichever you prefer. Both are correct. 8:30, breakfast here with the Embassy staff.
wi' the
Nine o'clock we leave for the Polinari Automotive Works, where you'll be presented with a small car.
f'r

ANN: "Thank you."

CTS: Which you will not accept.

ANN: "No, thank you."

CTS: 10:35, inspection of the Food and Agricultural Organization, present you with an olive tree.
anolive

ANN: "No, thank you."

CTS: Which you will accept.

ANN: "Thank you."

CTS: 10:55, the New Foundling Home for Orphans. You will preside over the laying of the cornerstone, same speech as last Monday.
speechas

この表現に注目！

- cannot sleep a wink. の cannot の部分は、ほとんど聞こえない。フルセンテンスで普通に言うなら、I can't sleep a wink.
- if you don't mind（よろしければ）は、直訳すると「もし、お気に障らなければ」で、「差し支えなければ～してもいいでしょうか？」と相手を気遣う表現。

伯爵夫人：よく眠れますよ。

アン：疲れすぎて眠れないわ。一睡もできない。

伯爵夫人：さて、よろしければ、明日のご予定を、または“スケジュール”を。どちらでもお好きな方を。両方とも正しいのです。8時30分、大使館職員とこちらで朝食。
9時、ポリナーリ自動車工場へ出発、そちらで小型車が贈られます。

アン：「感謝します。」

伯爵夫人：それは辞退あそばせ。

アン：「せっかくですが。」

伯爵夫人：10時35分、食料農業組合の視察、オリーブの木が贈られます。

アン：「せっかくですが。」

伯爵夫人：これはお受けあそばせ。

アン：「感謝します。」

伯爵夫人：10時55分、新設の孤児院。その定礎式に主賓として出席、先週の月曜日と同じスピーチを。

この音変化に注意!

tired to ⇒ tire' to
似た音が続くと、前の音が抜け落ちる

with the ⇒ wi' the
同じ音が続けば、前の音が抜け落ちる

for ⇒ f'r
for は [f] と弱くなる

an olive ⇒ anolive
[n]+ 母音で音がつながる

speech as ⇒ speechas
[tʃ]+ 母音で音がつながる

● schedule - or "schedule" の発音は、前者（シェジュール）がイギリス発音で、後者（スケジュール）がアメリカ発音。アン王女は、この言葉が大嫌い（⇒ P178）。
● inspection of the Food and Agricultural Organization, と present の間には、which will が入るが、セリフでは省略。

ANN: Trade relations.

CTS: Yes.

ANN: For the orphans?
F'r

CTS: Oh, no, no, the other one.

ANN: Youth and progress.

CTS: Precisely. ⇒ 132 p.265
11:45, back here to rest.
No, that's wrong, 11:45, conference here with the press.
wi' the

ANN: Sweetness and decency.

CTS: One o'clock sharp, lunch with the Foreign Ministry. ⇒ 128 p.264
wi' the
You will wear your white lace and carry a bouquet of -

CTS:
ANN: very small pink roses.

CTS: 3:05, presentation of a plaque.

ANN: "Thank you."

CTS: 4:10, review special guard of Carabiniere Police.

この表現に注目！

● Precisely. は Exactly. と同じで「まさにそのとおり」と相手の言ったことに対して肯定する表現。１語だけでもいいが、That's precisely what I meant.（まさに私が言いたかったことです）のように使える。

アン：貿易関係ね。

伯爵夫人：そうです。

アン：孤児たちに？

伯爵夫人：あ、いえ、いえ、もう1つの方です。

アン：若者と進歩。

伯爵夫人：そのとおりです。
11時45分、こちらに戻って休憩。
いえ、違いました。11時45分、こちらで記者会見。

アン：優しさと礼節。

伯爵夫人：1時ちょうど、外務省の方々と昼食。
白いレースのドレスをお召しになり、お持ちになるのは

この音変化に注意！

For ⇒ F'r
forは[f]と弱くなる

with the ⇒ wi' the
同じ音が続けば、前の音が抜け落ちる

夫人とアン：とても小さなピンクのバラ。

伯爵夫人：3時5分、飾り額の贈呈。

アン：「感謝します。」

伯爵夫人：4時10分、イタリア警察の特別警護の閲兵。

● One o'clock sharpのsharpは「きっかり」の意味。I'll meet you there at one o'clock sharp.（そこで1時きっかりに会おう）のように使える。One o'clock preciselyとも言える。

ANN: "No, thank you."

CTS: 4:45...

ANN: "How do you do?" ⇒ 32 p.250

CTS: ...back here to change...

ANN: "Charmed."

CTS: ...to your uniform...

ANN: "So happy." ⇒ 138 p.266

CTS: ...to meet the international ar...

ANN: Stop!!

CTS: Could you...

ANN: Stop, stop, stop!

CTS: It's all right, dear, it didn't spill.
T's didn' spill

ANN: I don't care if it spilled or not! ⇒ 44 p.252
spilledor
I don't care if I drown in it!
drownint

CTS: My dear, you're ill! I'll send for Dr. Bonnachoven.
⇒ 76 p.257

ANN: I don't want Dr. Bonnachoven.
don' want
Please let me die in peace! ⇒ 130 p.264

CTS: You're not dying!
no' dying

この表現に注目！

- Charmed. は「嬉しく思います」「光栄です」といった意味で、I'm charmed to meet you. の略。
- It's all right. は「大丈夫です」で、It は状況を指す。That's all right. と言えば、「いいんですよ」で、相手の言動を許す表現。

アン：「せっかくですが。」

伯爵夫人：4時45分…

アン：「はじめまして。」

伯爵夫人：ここに戻って着替え

アン：「光栄です。」

伯爵夫人：お礼服に

アン：「とても嬉しく思います。」

伯爵夫人：会合、国際…

アン：やめて！

伯爵夫人：王女様…

アン：やめて、やめて、やめて！

伯爵夫人：大丈夫ですよ、こぼれていません。

アン：こぼれても、こぼれてなくても、どうでもいい！　その中でおぼれても構わないわ！

伯爵夫人：まあ、王女様、ご病気ですわ。ボナコーベン先生を呼びに行かせましょう。

アン：ボナコーベン先生は要らない。
安らかに死なせて！

伯爵夫人：死にませんよ！

この音変化に注意！

It's ⇒ T's
あいまいな母音は**消える**

didn't spill ⇒ didn' spill
[t]+[s] で、前の [t] が**抜け落ちる**

spilled or ⇒ spilledor
[d]+ 母音で音が**つながる**

drown in it ⇒ drownint
[n]+ 母音で音が**つながる**

don't want ⇒ don' want
[t]+[w] で、前の [t] が**抜け落ちる**

not dying ⇒ no' dying
[t]+[d] で、前の [t] が**抜け落ちる**

● I'll send for Dr. Bonnachoven. の send for... は「…を呼びにやる」で、Could you send for a porter?（ポーターを呼んでいただける）のように使える。

ANN: Leave me! Leave me! ⇒ 109 p.261

CTS: It's nerves! ⇒ 104 p.261
Control yourself, Ann!

ANN: I don't want to!
don' want

CTS: Your Highness! I'll get Dr. Bonnachoven.

ANN: It's no use. I'll be dead before he gets here.
⇒ 69 p.256

この表現に注目！

●Control yourself. は「自制して」「自分を抑えて」で、ここでは「落ち着きなさい」といった意味。I don't want to! は I don't want to control myself! の略。

アン：放っておいて！

伯爵夫人：神経の高ぶりです。
お気を静めて！

アン：イヤよ！

伯爵夫人：王女様！　ボナコーベン先生を呼んでまいります。

アン：そんなのムダよ。先生がいらっしゃるころには死んでるわ。

この**音変化**に注意！

don't want ⇒ don' want
[t]+[d]+で、前の[t]が**抜け落ちる**

- It's no use. は「役に立たない」「使いものにならない」といった意味。
- before he gets here. は、未来のことだが gets と現在形で表すことに注意。Please tell me if she comes.（彼女が来たら教えてね）などと使う。

Chapter 04

【イタリア大使館・アン王女の寝室】

医師の注射

DOC: She's asleep.

CTS: She was in hysterics three minutes ago, Doctor.

DOC: Are you asleep, ma'am?

ANN: No!

DOC: Oh! I'll only disturb Your Royal Highness a moment, huh.

ANN: I'm very ashamed, Dr. Bonnachoven. ⇒ 91 p.259
I...suddenly I was crying.

DOC: Humph. To cry - perfectly normal thing to do.

GEN: It's most important she be calm and relaxed for the press conference, Doctor.
T's　relax'

ANN: Don't worry, Doctor. ⇒ 17 p.248
I - I'll be calm and relaxed and I - I'll bow and I'll smile and - I'll improve trade relations and I, and I will...

CTS: There she goes again. ⇒ 160 p.269

この表現に注目!

- asleep は「眠っている状態」を意味する。
- ma'am は「王女様」など王族の女性への呼びかけ（イギリス英語）。
- To cry のセリフは To cry is a perfectly normal thing to do. の略。

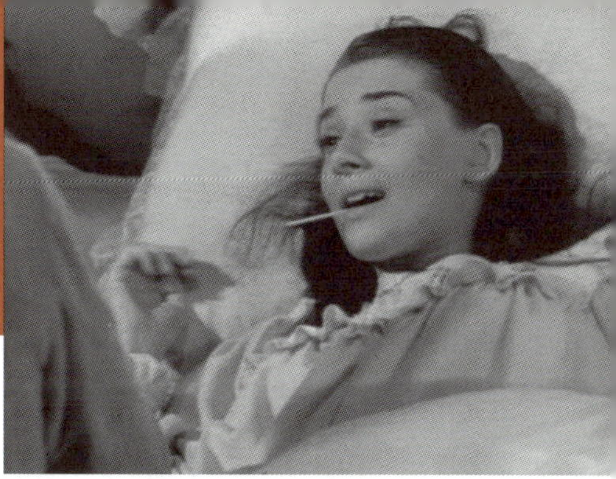

医師：お眠りです。

伯爵夫人：３分前まではヒステリーを起こしていらして、先生。

医師：お休みで、王女様？

アン：いいえ！

医師：ほう！　少々おじゃましますよ、王女殿下。

アン：私とても恥ずかしいですわ、ボナコーベン先生。急に泣いたりして。

医師：ふむ。泣くのは、ごく自然なことです。

将軍：記者会見には、王女様がゆったり落ち着いて臨まれることが重要です。

アン：ご心配なく、先生。
ゆったり落ち着きます。おじきをして微笑んで、貿易関係を促進して…私…

伯爵夫人：また始まりました。

この音変化に注意！

It's ⇒ T's
あいまいな母音は消える

relaxed ⇒ relax'
単語の最後の破裂音は消える

● It's most important she be calm and relaxed... の she be calm に注意。とても重要なことや強く望む気持ちを強調するために動詞の原形を使う。例文：We suggest that he be promoted.（彼が昇進することを私たちは提案します）。

Give her something, Doctor, please!
Give 'er

DOC: Uncover her arm, please, hmm?

ANN: What's that?

DOC: Sleep and calm. This will relax you and make Your Highness feel a little happy. It's a new drug, quite harmless. There.
leepan' calm makjur feela

ANN: I don't feel any different. ⇒ 45 p.252

DOC: You will. It may take a little time to take hold. Just now, lie back, huh?

ANN: Can I keep just one light on? ⇒ 8 p.247
Canl

DOC: Of course. Best thing I know is to do exactly what you wish for a while.
fora

ANN: Thank you, Doctor.

CTS: Oh, the General! Doctor, quick!

DOC: Oh!

ANN: Hah!

GEN: I'm perfectly all right! ⇒ 83 p.258
Good night, ma'am.

この表現に注目！

● This will relax you... は、日本人が苦手なモノが主語の表現。This will make you happy. と言えば、「これで楽しくなりますよ」。

● It may take a little time to take hold. の may（かもしれない）は「可能性が半分くらい」のときに使う。それ以下の可能性なら might を使う。take hold は（薬などが）「効いてくる」。

何か差し上げてください、先生！

医師：袖をまくってあげてください。

アン：それは何？

医師：睡眠安定剤。お気持ちが楽になり、いいご気分になります、王女殿下。新薬で、副作用はまったくありません。ほら。

アン：何も違いを感じないわ。

医師：そのうちに。効いてくるには少し時間がかかります。今は横におなりになって、さあ。

アン：電気を1つ点けたままでもいいかしら？

医師：もちろんです。しばらくはお好きになさるのが一番かと存じます。

アン：ありがとう、先生。

伯爵夫人：まあ、将軍が！　先生、早く！

医師：おや！

アン：まあ！

将軍：私なら大丈夫です！
お休みなさい、王女様。

この音変化に注意！

Give her ⇒ Give 'er
her は弱くなり [h] が消える

Sleep and calm ⇒ Sleepan' calm
and は an' や 'n' のように弱くなる

make Your ⇒ makjur
[k]+[j] は [kj] に変わる

feel a ⇒ feela
[l]+ 母音で音がつながる

Can I ⇒ CanI
[n]+ 母音で音がつながる

for a ⇒ fora
[r]+ 母音で音がつながる

- Best thing I know は、The best thing that I know を省略したもの。
- このシーンで、アンが見ている天井が映し出されるが、ジョーの部屋で目覚めたときは、まったく違う天井が現れる。（⇒ P114）

DOC: **Good night, ma'am.**

ANN: **Good night, Doctor.**

医師：お休みなさい、王女様

アン：お休みなさい、先生。

Chapter 05

【ホテルの一室】

記者仲間のポーカー

CSH: Bet five hundred.

JOE: Five hundred. How many?

IRV: One.

CSH: I'll take one.

MAN: Three.

JOE: Four...boy! Two for Papa.

CSH: Five hundred more.

JOE: Without looking.
lookin'

IRV: Five hundred - and...uh I'll raise you a thousand.
raizju

CSH: Two pairs.

JOE: Oh, well, I've got three shy little sevens.
lidle

IRV: Er, a nervous straight. Come home, you fools.
Now, look at this: six thousand five hundred - ah,
looka' this
not bad, that's ten bucks.
Er, one more round and I'm going to throw you
gonna

この表現に注目！

- (I'll) Bet five hundred. の bet はその本来の意味で「賭ける」だが、（お金を賭けるほど）「確かだ、確信する」という意味もある。I bet you had a good time. と言えば「きっと楽しかったことでしょうね」。
- Come home. は賭け事でよく使う表現で fools は「お金」のこと。

男1　：500賭ける。

ジョー　：500だ。何枚？

アービング　：1枚。

男1　：俺も1枚もらおう。

男2　：3枚。

ジョー　：4枚…おやおや！　親に2枚。

男1　：さらに500。

ジョー　：見なくていい。

アービング　：500だ。さらに1000賭け金を上げる。

男1　：ツーペアだ。

ジョー　：おや、そう。こちらは控えめに7のスリーカード。

アービング　：興奮のストレートだ。お帰り、おバカさんたち。見ろ6000と500だ。悪くない、10ドルだ。
あと1回やったら、お前さんたちを雪の中に放り出

この音変化に注意！

looking ⇒ lookin'
-ingは弱くなってiin'と変わる

raise you ⇒ raizju
[z]+[j]は[ʒ]に変わる

little ⇒ lidle
母音+[t]+母音で[t]は[d]に変わる

look at this ⇒ looka' this
[k]+母音で音がつながる
[t]+[th]で、前の[t]が抜け落ちる

going to ⇒ gonna
going toはgonnaに変わる

● buck (s)は米俗語で「ドル」。buckskin（鹿の皮）が語源で18世紀に商売・取引の単位だった。19世紀になって「ドル」を表すようになった。
● throw you gents right out in the snow.は「君たちはもう帰ってくれ」を大げさに言ったもの。gentsは「紳士」「男性」で主にイギリス英語。

gents right out in the snow.
righdout

ALL: Say. Wait a minute...what do you mean?

IRV: I got to get up early. ⇒ 49 p.253
gotta gerup
Date with Her Royal Highness, who will graciously pose for some pictures.

JOE: What do you mean early? ⇒ 182 p.272
Whadya
My personal invitation says 11:45.

CSH: Couldn't be anything to do with the fact that you're ahead?
wi' the

IRV: It could.

JOE: Well, it works out fine for me. ⇒ 100 p.260
This is my last five thousand.
And you hyenas are not going to get it.
gonna
Thanks a lot, Irving. ⇒ 149 p.267

IRV: Yeah.

JOE: See you at Annie's little party in the morning.
lidle pardy

IRV: *Ciao*, Joe.

JOE: Yep, ciao.

ALL: Goodbye, Good night, Joe.

この表現に注目！

● Wait a minute...what do you mean? の部分は、不明瞭。
● (It) Couldn't be anything to do with the fact that you're ahead? の Couldn't be は「～ではないだろうか」という推量。続く It could. の could も推量。I could be wrong. と言えば「間違っているかもしれないが」という意味。

すからな。

一同：おい。ちょっと待てよ…どういうことだ。

アービング：早起きしないと。
王女殿下とデートなんだ。写真のために優雅なポーズを取ってくださる。

ジョー：早いってどういうことだ？
僕の招待状には11時45分とある。

男1：お前が勝っていることと関係があるんじゃなかろうな？

アービング：かもね。

ジョー：まあ、僕には好都合だ。
これは最後の5000。
君たちハイエナには巻き上げられないぞ。
どうもありがとう、アービング。

アービング：ああ。

ジョー：それじゃ明朝、アニーのパーティーで会おう。

アービング：じゃあ、ジョー。

ジョー：じゃあな。

一同：お休み、ジョー。

この**音変化**に注意！

right out ⇒ righdout
[t]が[d]に変わりつながる

got to ⇒ gotta
got toはgottaに変わる

get up ⇒ gerup
母音＋[t]+母音で[t]は「ラ」のような音に変わる

What do you ⇒ Whadya
What do youでは[t]は抜け落ちる

with the ⇒ wi' the
同じ音が続くと、前の音が抜け落ちる

going to ⇒ gonna
going toはgonnaに変わる

little party ⇒ lidle pardy
母音＋[t]+母音で、[t]は[d]に変わる

- Annie's little partyは「アン王女の記者会見」のこと。アービングは、AnnをAnnieと愛称で呼んでいる。
- *ciao*はイタリア語で、「やあ」「じゃまた」といった気軽なあいさつ。

JOE: ***Ciao*. Stay sober.**

IRV: **All right, a little seven-card stud.**
lidle

CSH: **Okay with me.**

この表現に注目！

● stud は、stud poker（スタッドポーカー）のことで、カードの交換ができないポーカー。

ジョー：じゃあ。酔っぱらうなよ。

アービング：よし、セブンカード・スタッドを少し。

男1：俺はいいぜ。

この**音変化**に注意！

little ⇒ lidle
母音＋[t]＋母音で、[t]は[d]に変わる

● Okay with me. は That's okay with me. のことで、「私はそれでいいですよ」。It's okay. と言えば、（今の状況などが）「大丈夫」「問題ない」。That's okay. なら、（相手の言動などに対して）「気にしないで」。

Chapter 06

【フォロ・ロマーノ】

ジョーとアン王女の初めての出会い

ANN: Sooooo...happy... How are you this evening? Mmmmmmmmm....hmmmmm....mmmmmmmmm mm...

JOE: Hey - hey - hey - hey!
Hey, wake up! Wake up.
wak' up

ANN: Thank you very much. Delighted.
No, thank you... Charmed...

JOE: Charmed, too.

ANN: You may sit down. ⇒ 217 p.277

JOE: I think you'd better sit up. ⇒ 60 p.254
you' better
Much too young to get picked up by the police.

ANN: Police?

JOE: Yep, po - lice.

ANN: 2:15 and back here to change.
2:45...

JOE: You know, people who can't handle liquor shouldn't drink it.
can' han' le
drinkit
⇒ 129 p.264

この表現に注目！

- I thinkのthinkは、ほとんど聞こえない。
- (You're) Much too young to get picked up by the police.には「かなり若いのに警察につかまったら困るだろう」というニュアンスがある。「get＋過去分詞」には「やられて困る」という含みがある。

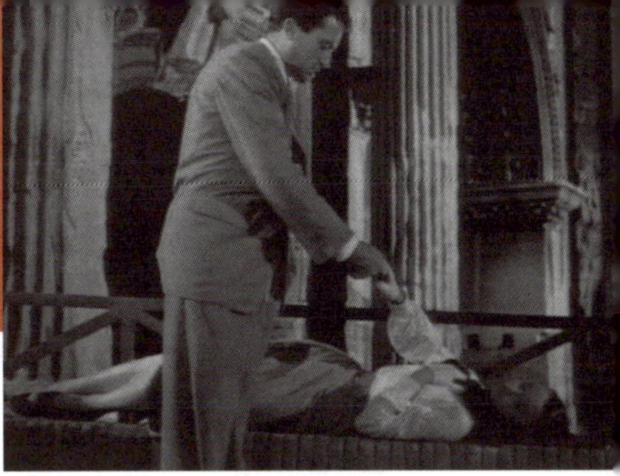

アン：とても嬉しく思います。今夜のご機嫌はいかが？

ジョー：ちょっと、ちょっと！
ほら、起きて！　起きるんだ。

アン：本当にありがとうございます。嬉しく思います。せっかくですが…光栄です…

ジョー：こちらこそ光栄です。

アン：お掛けなさい。

ジョー：起きた方がいいと思うよ。
警察につかまるには若すぎるよ。

アン：警察？

ジョー：そう、警察。

アン：2時15分、ここに戻って着替え。
2時45分…

ジョー：いいかい、お酒に弱い人は飲んではいけないよ。

この音変化に注意！

wake up ⇒ wak'up
[k]+母音で音がつながる

you'd better ⇒ you' better
破裂音＋破裂音／破擦音で、前の破裂音が消える

can't handle ⇒ can' han' le
[t]+[h]で、前の[t]が抜け落ちる
[d]＋[l]で、前の[d]が抜け落ちる

drink it ⇒ drinkit
[k]+母音で音がつながる

● people who can't handle liquor shouldn't drink it. は一般論で柔らかいニュアンス。アンを直接に非難せず間接的で心優しいジョーの一面が表れている。

ANN: "If I were dead and buried and I heard your voice - **beneath the** sod my heart of dust would still rejoice."
(benea' the)

Do you know that poem?
(Dju)

JOE: Huh! **What do** you know! ⇒ 181 p.272
(Whadya)

You're well-read, well-dressed, snoozing away in a public street.

Would you care to make a **statement**? ⇒ 206 p.275
(Wouldju) (statemen')

ANN: What the world needs is a return to sweetness and decency in the souls of its young men and... mmmmmhhhhhhhmmmmm.....

JOE: Yeah, I er, **couldn't agree** with you more, but erm...
(couldn'agree)

Get yourself some coffee, you'll be all right.
(Getjurself)

⇒ 42 p.252 ⇒ 21 p.249

Look, you take the cab. ⇒ 116 p.262 ⇒ 220 p.277

ANN: Mmmmm.

JOE: **Come on**, climb in the cab and go home. ⇒ 10 p.247
(Com' on)

ANN: Mmmmm...mmmmmm, so happy. ⇒ 136 p.265

JOE: You got any money? ⇒ 215 p.277

ANN: Never carry money. ⇒ 124 p.263

この表現に注目！

● well-read は（多読によって）「博識の」。well-dressed は「身なりのきちんとした」。ジョーは、そういう女性がどうして道端で眠りこけているのか不思議でたまらない。

アン：「われ死して埋められるとも君が声を聞かば、土の下に眠るわが心は喜びに満ちるであろう。」この詩をご存じ？

ジョー：へえー、こりゃ驚いた！
学もあって身なりもいいのに、道端で平気でうたた寝とは。
ご見解を発表なさいますか？

アン：世界に必要なのは、若者たちの心に優しさと礼節を取り戻すこと、そして…、うーん…

ジョー：君に大賛成だが…コーヒーでも飲みなさい、よくなるから。
ほら、タクシーに乗りなさい。

アン：うーん。

ジョー：さあさあ、タクシーに乗り込んで家に帰りなさい。

アン：うーん、とても嬉しく思います。

ジョー：お金は持ってる？

アン：お金は持ち歩かないの。

この音変化に注意！

beneath the ⇒ benea' the
似た音が続けば、前の音が抜け落ちる

Do you ⇒ Dju
[d]+[j] で [ʤ] と変わる

What do you ⇒ Whadya
What do you では [t] は抜け落ちる

Would you ⇒ Wouldju
[d]+[j] で [ʤ] と変わる

statement ⇒ statemen'
単語の最後の破裂音は消える

couldn't agree ⇒ couldn'agree
[n]+[t] で [t] が抜け落ちてつながる

Get yourself ⇒ Getjurself
[t]+[j] は [tʃ] に変わる

Come on ⇒ Com'on
[m]+ 母音で音がつながる

- snoozing away で「平気で眠りこけている」というニュアンス。snoozing は sleeping よりかなりくだけた態度を示す。away で「平気でやっている」感じが追加される。
- climb in は「はうようにして乗り込む」。

JOE: That's a bad habit.

ANN: Mm.

JOE: All right. I'll drop you off, come on. ⇒ 10 p.247 ⇒ 72 p.256
dropju

ANN: It's a taxi!

JOE: Well, it's not the Super Chief.
no' the

この表現に注目！

● habitは「個人的な習慣」で、類語のcustomは「社会的な習慣」。「それってあなたの習慣なの？」と聞く場合は、Is that a habit of yours? が正しく、Is that a custom of yours? は間違い。

ジョー：悪い習慣だな。

アン：ふん。

ジョー：分かった。途中まで送っていこう、来なさい。

アン：タクシーだわ！

ジョー：豪華寝台列車じゃないよ。

この**音変化**に注意！

drop you ⇒ dropju
[p]+[j] は [pj] に変わる

not the ⇒ no' the
似た音が続けば、前の音が抜け落ちる

● the Super Chief は当時シカゴ・ロサンゼルス間を結んだ高級寝台列車。ハリウッドスターも数多く乗り、評判を呼んだ。

Chapter 07

【タクシー】

タクシーの行き先

DRV: *Dove andiamo?* Where're we going?

JOE: Where do you live? ⇒ 196 p.274

ANN: Mmmmmm? Colosseum.

JOE: Now, come on, you're not that drunk. ⇒ 10 p.247
no' that
⇒ 228 p.279

ANN: You're so smart - I'm not drunk at all. ⇒ 81 p.257
atall
I'm just being verrrrry haaaappy...... ⇒ 80 p.257

JOE: Hey, now, don't fall asleep again. Come on.
fallasleep
⇒ 10 p.247

DRV: *Per favore, signore - ho detto dove andiamo?*
Where are we - we going?

JOE: *Lo diro in un momento dove fermare.*

DRV: Okay.

JOE: Look, now where do you want to go? Hmmm?
wanna
⇒ 116 p.262 ⇒ 197 p.274
Where shall I take you?
tak'ju

この表現に注目！

- Colosseum（コロセウム）とアン王女が自分の住所を言っているのは、自分の正体を知られたくないため。
- smart は「かしこい」「利口な」。fall asleep は「眠り込む」。

運転手：*どこに行きますか？　どこへ行きますか？*

ジョー：どこに住んでる？

アン：うーん？　コロセウム。

ジョー：おい、よせよ、それほど酔ってはいないだろ。

アン：鋭いわね。私は全然酔ってないわ。ただ、とてもいい気分なの…

ジョー：おいおい、また寝るんじゃない。さあ。

運転手：*お願いしますよ、だんな。どこへ行くのですかと言ったのです。どこへ…*行くんです？

ジョー：今、*行き先を言うから。*

運転手：分かりました。

ジョー：いいか、どこへ行きたい？　*え？*
どこまで連れていけばいい？

この音変化に注意！

not that ⇒ no' that
似た音が続けば、前の音が抜け落ちる

at all ⇒ atall
[t]+ 母音で音がつながる

fall asleep ⇒ fallasleep
[l]+ 母音で音がつながる

want to ⇒ wanna
want to は wanna に変わる

take you ⇒ tak'ju
[k]+[j] は [kj] に変わる

● 『ローマの休日』という邦題は意訳で、Roman holiday（ローマ人の休日）とは本来「他人を苦しめて得る娯楽」の意味。古代ローマ人の娯楽とアン王女のつかの間のアバンチュールをかけたタイトル。その象徴が Colosseum でアン王女が自分の住まいだと言うのが面白い。

Where do - where do - where do you live?
Huh? huh? Come on. ⇒ 10 p.247
Come on, where do you live? ⇒ 10 p.247

ANN: Uhh-umm...

JOE: Come on - where do you live?

ANN: I....ohhhhh....Colosseum.

JOE: She lives in the Colosseum.

DRV: Is wrong address. Now, look, *segnore,* for me it is very late night and *mia moglie* - my wife... I have three bambino - three *bambino*, ah - you know, *bambino?* ⇒ 116 p.262
My- my taxi go home, I- I go home er too, together, *signore*... Excuse me.

JOE: Via Margutta 51.

DRV: Via Margutta 51. Oh, *molto bene!*

この表現に注目！

●イタリア語ではふつう主語が省略されるため運転手は Is wrong address. と It を省略。*mia moglie* は my wife、*bambino* は child、*molto bene* は very good という意味。

どこ、どこに住んでいる？　なあ、ねえ。さあさあ。どこに住んでいる？　さあ、どこに住んでいる？

アン：うーん…

ジョー：さあ、どこに住んでいる？

アン：私…コロセウム。

ジョー：コロセウムに住んでいるとさ。

運転手：それじゃ住所が違う。いいですか、*だんな*、あっしには夜もだいぶ遅いし、*カミさん*…*カミさん*…　あっしには3人の*バンビーノ*、3人の*バンビーノ*、*バンビーノ*って分かります？　あっしのタクシーは家に帰る、あっしも一緒に家に帰る。*だんな*…失礼。

ジョー：マルグッタ通り51へ。

運転手：マルグッタ通り51。*よしきた！*

●運転手は、イタリア語交じりのブロークンな英語を使っている。が、妻と子どもが家で待っているので、変なことに巻き込まれたくない心情がよく伝わる。

Chapter 08

【マルグッタ通り・ジョーのアパートの前】

運転手とのやり取り

DRV: Here is Via Margutta 51 - *Cinquantuno*.
I am very happy. Thousand lira - *mille lire*.

JOE: *Mille. Cinquemila.*

DRV: One - two - three - four *mille*.

JOE: Okay. *Mille per te.*

DRV: For me?

JOE: Si.

DRV: Oh, *grazie mille.*

JOE: Okay - okay. Look - take a little bit of that...
tak' a lidle bito' that

DRV: Aah...

JOE: Take her wherever she wants to go. ⇒ 146 p.267

DRV: Aah-haah.

JOE: Huh? *Capito? Capito.* Huh-ha, *buona notte.*

この表現に注目！

● *Cinquantuno* は 51 で、*Cinquemila* は 5000 リラ。*Mille per te.* は Mille for you. のこと。*Grazie mille.* は Thanks a lot.（どうもありがとう）。*Capito?* は Understood?（分かった）。*buona notte* は good night（お休みなさい）。

運転手：マルグッタ通り51ね。*51。*
いやよかった。
1000リラ、1千リラです。

ジョー：*1000ね。5000だ。*

運転手：1、2、3、4千。

ジョー：じゃ、*1000を君に。*

運転手：あっしに？

ジョー：ああ。

運転手：*これはどうも。*

ジョー：いいんだ。いいんだ。いいかい、そのお金をいくらか使って…

運転手：*えー…*

ジョー：この娘が行きたい所に連れていってくれ。

運転手：ええ。

ジョー：ん？　*分かったか？　分かったね。*いいね。*お休み。*

この音変化に注意！

take a little ⇒ tak'a lidle
[k]+母音で音がつながる
母音+[t]+母音で[t]は[d]に変わる

bit of that ⇒ bito' that
ofが入った語句では、[v]が抜け落ちて前の音とつながる

● take a little bit of thatは「そこから少し取って」の意味。1000リラをチップとして渡して、運転手にアンを送ってもらうつもりで言っている。

DRV: Good night. *Buona notte.*
Oh! No, no, *momento, momento, momento!* No, no, no. No, no, no.

JOE: All right, all right.
Look, as soon as she wakes up, see?
as soonas

DRV: Yeah...

JOE: She tell you where she want to go. Okay.
wan' to

DRV: *Momento, momento.* My taxi is not for sleep, my taxi, no sleep. Understand? You understand?

JOE: Look, look, pal, this is not my problem, see?
⇒ 167 p.270
I never see her before. Huh? Okay.

DRV: Is not your problem, is not my problem. What you want? You don't want girl, yeah? Me don't want girl.
Whatju
Police! Maybe she want girl!

JOE: Stay *calmo*, stay *calmo.* ⇒ 139 p.266
Okay, okay, okay.
Va bene, va bene.

この表現に注目！

- She tell you where she want to go. や I never see her before. は文法的には誤りだが、ジョーはイタリア人運転手に伝わるようにあえて動詞の原形を使って話している。
- Stay calm.（落ち着け）のイタリア語は *Stai calmo.* でジョーは Stay calmo. と混ぜこぜ。

運転手：お休みなさい。*お休みなさい。*おっと！
ダメ、ダメ、ちょっと、ちょっと、ちょっと。ダメ、ダメ、ダメ、ダメ、ダメ。

ジョー：分かった、分かった。
いいかい、この娘が起きたらすぐにだ、いいか？

運転手：うん…

ジョー：どこへ行きたいか言うから、いいね。

運転手：*ちょっと、ちょっと。*あっしのタクシーは寝る所じゃない。あっしのタクシー、寝る所じゃない。分かります？　分かりますか？

ジョー：いいかい、君、これは僕の問題じゃない、分かる？
この娘とは前に会ったことはないんだ。いいね。

運転手：だんなの問題でもないし、あっしの問題でもない。どうしたいんです？　だんなは娘要らないし、あっしも娘要らない。
警察だ！　警察は娘要るかも。

ジョー：落ち着いて、落ち着いて。
分かった、分かった。
オーケー、オーケー。

この音変化に注意！

as soon as ⇒ as soonas
[n]＋母音で音がつながる

want to ⇒ wan' to
同じ音が続けば、前の音が抜け落ちる

What you ⇒ Whatju
[t]+[j] は [tʃ] に変わる

- Police! Maybe she want girl! では、she は police のこと。イタリア語で「警察」は女性名詞なので she を使っている。police は複数扱いなので、Maybe they want the girl. が正しい。
- *Va bene* は直訳では Goes well で、Okay の意味。

【アパート・中庭】
眠りたいアン王女

ANN: So happy.
So happy. ⇒ 138 p.266

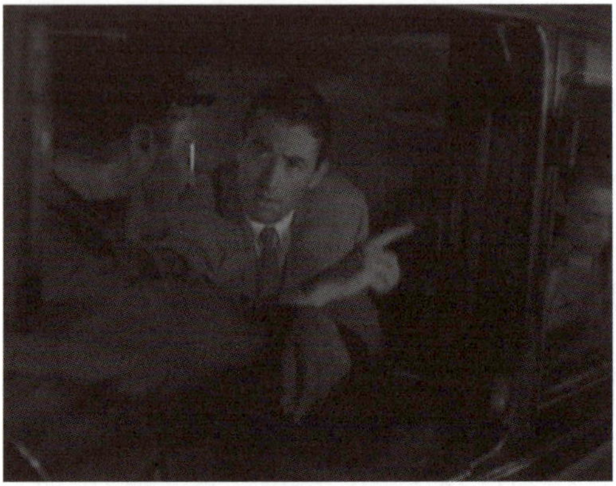

アン：とても嬉しく。
とても嬉しく。

Chapter 09

【ジョーのアパート・室内】

ジョーとアン王女とパジャマ

JOE: Out of my head.

ANN: Is this the elevator?

JOE: It's my room!

ANN: I'm terribly sorry to mention it, but the dizziness is getting worse. Can I sleep here? ⇒ 88 p.258 ⇒ 158 p.268

mentionit / CanI

JOE: That's the general idea. ⇒ 154 p.268

ANN: Can I have a silk nightgown with rosebuds on it?

JOE: I'm afraid you'll have to rough it tonight - in these.

hafto / roughi' tonight

ANN: Pajamas!

JOE: Sorry, honey, but I haven't worn a nightgown in years.

haven' worna

ANN: Will you help me get undressed, please? ⇒ 202 p.275

JOE: Er...okay. Er, there you are. You can handle the rest. ⇒ 161 p.269 ⇒ 211 p.276

c'n handle

この表現に注目！

● (I'm) Out of my head. のセリフは、脚本では I ought to have my head examined.（頭を調べてもらわないと）となっている。I oughta've my head. と発音すればほとんど同じセリフに聞こえる。

ジョー：どうかしてるよ。

アン：これはエレベーター？

ジョー：僕の部屋だよ！

アン：こんなこと言って大変申し訳ないのですが、めまいがひどくなってきました。ここで寝てもいいですか？

ジョー：そう考えるのが普通だ。

アン：バラのつぼみがついたシルクの寝巻きをください。

ジョー：あいにくだが、今夜は我慢してくれ、これで。

アン：パジャマだわ！

ジョー：ごめん、寝巻きは何年も着ていない。

アン：脱ぐのを手伝ってくださる？

ジョー：ああ、いいよ。はい、これ。後は自分でできるだろう。

この音変化に注意！

mention it ⇒ mentionit
[n]+母音で音がつながる

Can I ⇒ Canl
[n]+母音で音がつながる

have to ⇒ hafto
有声音が、無声音の影響で無声音に変わる

rough it tonight ⇒ roughi' tonight
同じ音が続けば、前の音が抜け落ちる

haven't worn a ⇒ haven' worna
[t]＋[w]で、前の[t]が抜け落ちる

can handle ⇒ c'n handle
canはc'nと弱くなる

● That's the general idea.は「そう考えるのが普通だ」という意味。general ideaは「一般的な考え」や「一般概念」。ニュアンスとしては「そういうことなんだよね」とか「まぁ、そういうことになるでしょう」。
● rough itは、（旅行やキャンプなどで）「不便な生活をする」。

ANN: May I have some? ⇒ 121 p.263

JOE: No! Now look!

ANN: This is very unusual. ⇒ 168 p.270
I've never been alone with a man before, even with my dress on.
beenalone
⇒ 107 p.261
With my dress off, it's most unusual.
Hm, I don't seem to mind. Do you? ⇒ 48 p.253
don' seem

JOE: I think I'll go out for a cup of coffee.
cuppa coffee

ANN: Hm.

JOE: You'd better get to sleep. ⇒ 225 p.278
You' better

ANN: Hm?

JOE: Oh, no - no. On this one.

ANN: You're terribly nice.

JOE: Hey - hey. These are pajamas.
Theseare
They're to sleep in. You're to climb into them.
You understand?

ANN: Thank you.

JOE: And you do your sleeping on the couch, see?
Not on the bed, not on the chair, on the couch. Is that clear? ⇒ 93 p.259
Noton

この表現に注目！

● I've never been alone with a man beforeは、アンはまだ男性経験がないことを知らせる重要なセリフ。ジョーと親密になるまでの重要な伏線（⇒ P206）。

アン：私もいただける？

ジョー：ダメだ！　いいか！

アン：これはとても珍しいことだわ。私はこれまで男の人と２人きりになったことはないの。服を着ていてさえも。服を脱ぐなんて、きわめて珍しい。気にはならないみたい。あなたは？

ジョー：外でコーヒーを飲んでくる。

アン：うん。

ジョー：君は寝たほうがいい。

アン：えっ？

ジョー：おっと、ダメ、ダメ。こっちだ。

アン：とてもご親切に。

ジョー：さあ、さあ。これがパジャマだ。着て寝るためのもの。何とかして着るんだ。分かったね？

アン：ありがとう。

ジョー：それから君が寝るのは長椅子だ。いいか？ベッドでもないし、椅子でもない、長椅子だ、分ったか？

この音変化に注意！

been alone ⇒ beenalone
[n]+母音で音が**つながる**

don't seem ⇒ don' seem
[t]+[s]で、前の[t]が**抜け落ちる**

cup of coffee ⇒ cuppa coffee
ofが入った語句では、[v]が**抜け落ちて**前の音と**つながる**

You'd better ⇒ You' better
[d]+[b]で、前の[d]が**抜け落ちる**

These are ⇒ Theseare
[z]+母音で音が**つながる**

Not on ⇒ Noton
[t]+母音で音が**つながる**

● climb intoは「努力して着る」。
●ジョーが「couch（長椅子）ので寝るんだ」と言うと、アンは「couch of snows（雪の長椅子）から立ち上がる」と詩で答えるところが面白い。

ANN: Do you know my favorite poem?

JOE: Ah, you've already recited that for me.

ANN: Arethusa arose, from her couch of snows, in the Akraceronian Mountains." Keats.

JOE: Shelley.

ANN: Keats!

JOE: You just keep your mind off the poetry, and on the pajamas, everything will be all right, see? ⇒ 20 p.249

keepjur

ANN: It's Keats.

JOE: I'll be - it's Shelley - I'll be back in about ten minutes.

backinabout

ANN: Keats. You have my permission - to withdraw.

JOE: Thank you very much.

この表現に注目！

●この詩「Arethusa」の作者をアンはKeatsと勘違いしており、ジョーが言うShellyが正しい。２人とも19世紀イギリス・ロマン派を代表する詩人で、「キーツ・シェリー博物館」がスペイン階段の右手にある。

アン：私の好きな詩をご存知？

ジョー：それなら僕にもう暗唱してくれたよ。

アン：「アレトゥーサはアクロシローニアの山々の雪の長椅子から起きた」。キーツよ。

ジョー：シェリーだ。

アン：キーツよ！

ジョー：詩のことは忘れて、パジャマのことを考える、それで万事オーケー、だろ？

アン：キーツよ。

ジョー：いいか、シェリーだ、10分ほどで戻るから。

アン：キーツよ。下がってもよろしい。

ジョー：そりゃどうも。

この音変化に注意！

keep your ⇒ keepjur
[p]+[j] は [pj] に変わる

back in about ⇒ backinabout
[k]+ 母音で音がつながる
[n]+ 母音で音がつながる

- and on the pajamas の and は、ほとんど聞こえない。
- You have my permission – to withdraw.（直訳：引き下がる許可を与えます）は、王女がふだん側近に言っているような感じ。ここでも王女の雰囲気が出ている。それなのに、スカートがずり下がるところが笑える。

Chapter 10

【イタリア大使館・大使の書斎】

アン王女の失踪

AMB: Well?

OFF: No trace, Your Excellency.

AMB: Have you searched the grounds? ⇒ 26 p.249

OFF: Every inch, Sir, from the attics to the cellar.

AMB: I must put you on your honor not to speak of this to anyone. I must remind you that the Princess is the direct heir to the throne.
putju rimindju
This must be classified as top-crisis secret.
⇒ 169 p.270
Have I your pledge?
Hav'l

OFF: Yes, Sir.

AMB: Very well. Now we must notify Their Majesties.

Telex:

A SPECIAL EMBASSY BULLETIN REPORTS THE SUDDEN ILLNESS OF HER ROYAL HIGHNESS THE PRINCESS ANN.

この表現に注目！

●Well? はここでは「それで？」「どうなった？」といった意味。

●このシーンで大使は強い意味を持つ must を４度も使っている。must の核となる意味は「～しなければならない」という義務感。自分には「義務」、相手には「命令」や「説教」となる。

大使：どうだ？

職員：何の形跡もありません、閣下。

大使：敷地内をくまなく捜したのか？

職員：すみずみまで。屋根裏から地下室まで。

大使：君の名誉にかけてこの件は誰にも言わないこと。王女は第一の王位継承者であられることを忘れるな。
これは最重要機密扱いとする。
誓うか？

職員：はい。

大使：よろしい。さて、両陛下にご報告しなければ。

テレックス：
大使館より特別ニュース配信
アン王女殿下が突然のご発病

この**音変化**に注意！

put you ⇒ putju
[t]+[j] は [tʃ] に変わる

remind you ⇒ remindju
[d]+[j] は [dʒ] に変わる

Have I ⇒ Hav'l
[v]+ 母音で音がつながる

● Have I your pledge? は相手に「誓うか？」とたずねる表現。I'll take a pledge. と言えば自分が誓うこと。

【ジョーのアパート・室内】
ジョーの寝過ごし

JOE: Huh? Oh!

ANN: So happy. ⇒ 138 p.266

JOE: The pleasure is mine. ⇒ 159 p.269
(pleasure's)
Screwball!

JOE: Holy smoke, the Princess' interview!

ANN: Uh?

JOE: Eleven forty-five!
(fordy)

ANN: Uhnnn...

JOE: Oh, shhh...!

NEWSPAPER:
The Rome Italy
AMERICAN
Princes Ann Taken Ill;
Press Interview Cancelled

この表現に注目！

● The pleasure is mine. は、本来は心がこもった「どういたしまして」だが、ジョーは反対の気持ちを込めている。この表現は My pleasure だけでもいいし、フォーマルなら You're welcome. で、カジュアルなら Sure. と言う。

ジョー：え？　何だ！

アン：嬉しく思います。

ジョー：こちらこそ。変人だな！

ジョー：何てこった、王女の記者会見！

アン：えっ？

ジョー：11時45分なのに！

アン：うーん…

ジョー：まずい…！

この**音変化**に注意！

pleasure is ⇒ pleasure's
主語＋be動詞は短くなる

forty ⇒ fordy
母音＋[t]+母音で、[t]は[d]に変わる

新聞記事：
ザ・ローマ・イタリー
アメリカン
アン王女ご発病のため
記者会見は中止

- screwballは「奇人・変人」の意味。
- Holy smoke.はOh, my God.（これは大変）と同じ。同じ意味で他に、Holy cow.やHoly shit.などの表現がある。

【アメリカン・ニュース・サービスのオフィス】
ジョーの遅刻

STF: Hi, Joe.

SEC: Good morning, Joe.
Goo' morning

JOE: Hello, honey.

SEC: Mr. Hennessy has been looking for you. ⇒ 123 p.263

JOE: Uh-oh.
Thanks a lot, hon.
Thanksa

HEN: Come in.
Com'in

この表現に注目！

●秘書から Mr. Hennessy has been looking for you. と言われてジョーは Uh-oh と言う。このイントネーションに注意。「これはマズイぞ」というニュアンス。

記者：やあ、ジョー。

秘書：おはようございます、ジョー。

ジョー：やあ、どうも。

秘書：支局長がずっと捜してたわ。

ジョー：おやおや。
どうもありがとう。

支局長：入りたまえ。

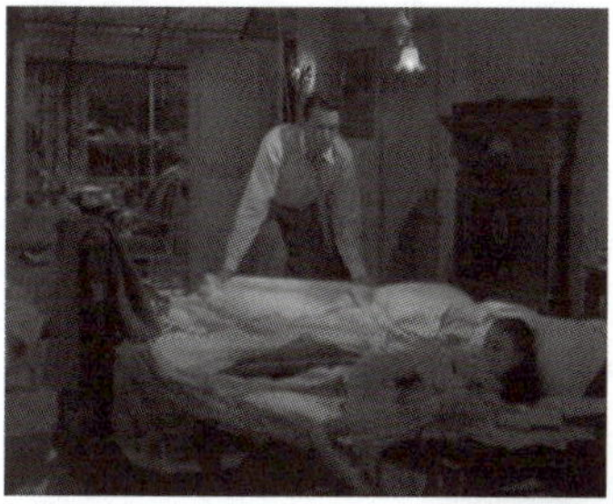

この**音変化**に注意!

Good morning
⇒ Goo' morning
[d]+[m] で、前の [d] が抜け落ちる

Thanks a ⇒ Thanksa
[s]+ 母音で音がつながる

Come in ⇒ Com'in
[m]+ 母音で音がつながる

● Thanks a lot, hon. の hon は honey の略。ふつうは妻や恋人への呼びかけだが、ここでは秘書に親しみを込めて呼びかけている。

Chapter 11

【支局長のオフィス】

ジョーの言い訳と支局長の追及

JOE: You've been looking for me?
lookin'

HEN: Just coming to work?
comin'

JOE: Who, me?

HEN: We start our days at 8:30 in this office!
We pick up our assignments...

JOE: I picked up mine last night.
pickup

HEN: What assignment was that?

JOE: The Princess - 11:45.

HEN: You've already been to the interview?

JOE: Why, sure; I just got back. ⇒ 143 p.266
go' back

HEN: Well, well, well... All my apologies. ⇒ 1 p.246

JOE: It's all right.
T's

HEN: Er, this is very interesting.

JOE: Nah, just routine.

HEN: Tell me, tell me, did she answer all the questions

この表現に注目！

●ジョーのYou've been looking for me?は「ずっと私を捜していたのですか？」という継続を表す。支局長のYou've already been to the interview?は「すでにインタビューに行ってきたのか？」という完了を表す。

ジョー：僕をお捜しでしたか?

支局長：今ごろ出勤か?

ジョー：誰、僕が?

支局長：わが社では8時半に始業だ！ みんな割り当てをもらって…

ジョー：僕の割り当ては昨夜もらいました。

支局長：それは何の割り当てだ?

ジョー：王女、11時45分。

支局長：そのインタビューに行ってきたのか?

ジョー：ええ、もちろん。たった今戻ったところです。

支局長：これは、これは…詫びるよ。

ジョー：いいんですよ。

支局長：これはすごく面白い。

ジョー：いえ、いつものことですよ。

支局長：さあ、教えてくれ、質問には全部お答え

この音変化に注意！

looking ⇒ lookin'
-ingは弱くなって-in'と変わる

coming ⇒ comin'
-ingは弱くなって-in'と変わる

pick up ⇒ pickup
[k]+母音で音がつながる

got back ⇒ go' back
[t]+[b]で、前の[t]が抜け落ちる

It's ⇒ T's
あいまいな母音は消える

- Well, well, well... は「それは、それは、それは」という意味。
- All my apologies. は、フルセンテンスで言えば、Please accept (all) my apologies.（ここにお詫びいたします）。

on the list?

JOE: Well, of course she did. I've got them right here, somewhere.
off course / got 'em
⇒ 105 p.261

HEN: Ah, don't disturb yourself - I have a copy here.
hav'a
⇒ 15 p.248

How did Her Highness react to the idea of a European Federation?
ova

JOE: She thought it was just fine.

HEN: She did?

JOE: Well, she thought that there'd be...two effects.

HEN: Two?

JOE: The, er, direct and the...indirect.

HEN: Oh, remarkable.

JOE: Naturally, she thought that the indirect would not be as...direct...as the direct.
That is, not right away.

HEN: No, no, no, no, no.

JOE: Later on, of course, well, nobody knows.
off course

HEN: Well, well, well. That was a shrewd observation!

この表現に注目!

● she did. は she answered all the questions on the list. のこと。ここからジョーは、さらにウソを重ねていく。

になったのか?

ジョー:ええ、もちろんお答えに。ちょうどここに、どこかにありますよ。

支局長:それには及ばない。ここにコピーがある。欧州連合案について王女のご反応は?

ジョー:とても結構なことですとのお考えで。

支局長:本当に?

ジョー:えー、2つの効果が見込めるとお考えで。

支局長:2つ?

ジョー:直接的と間接的な効果が。

支局長:ほう、注目に値する。

ジョー:当然ながら間接効果は直接効果ほど直接的でなく、即効性はないとお考えで。
つまり、今すぐではありません。

支局長:そうだ、そうだ。

ジョー:そのうちにですが、でも誰にも分かりません。

支局長:なるほど、なるほど。それは鋭い洞察力

この音変化に注意!

of course ⇒ off course
有声音が、無声音の影響で無声音に変わる

got them ⇒ got 'em
them は [th] がとれて 'em や 'm と弱くなる

have a ⇒ hav'a
[v]+母音で音がつながる

of a ⇒ ova
[v]+母音で音がつながる

of course ⇒ off course
有声音が、無声音の影響で無声音に変わる

●支局長は、ジョーの話を信じたふりをしている。アン王女がインタビューで「間接効果」や「直接効果」などと言っていることに対して「それは鋭い洞察力」と感心したふりをしている。

They fool you, you know, these royal kids.
They've got a lot more on the ball than we suspect.
gora
How did she feel about the future friendship of nations?

JOE: Youth.

HEN: Yep?

JOE: She felt that, er, the youth of the world must lead the way to a better...world.
lea' the

HEN: Hmm-hmm. Original. Er, by the way, what was she wearing?

JOE: Oh, you mean what did she have on?

HEN: Well, that's usually what it means.
Er, what's the matter, is it a little warm in here for you? ⇒ 192 p.273
izira f'r

JOE: No, no - I just hurried over here.

HEN: Oh, naturally, with a story of these dimensions.
Did you say she was wearing gray?
Didju

JOE: No, I didn't say that.
didn' say

HEN: Well, she usually wears gray.

この表現に注目！

- They fool you は「若い王族たちは人をかつぐ」で、この you は「一般の人」を指す。
- have a lot on the ball で「才能豊かである」「非常に有能である」。

だな！
連中は人をかつぐんだ、若い王族たちは。我々が思っているよりずっと機転が利くよ。
今後の諸国間の友好についてのお考えは？

ジョー：若者です。

支局長：はい？

ジョー：お考えでは、世界の若者たちが先頭に立って、よりよい世界を作るべきだと。

支局長：独創的だ。ところで、王女の服装はどうだった？

ジョー：つまり、何を着ていたかですか？

支局長：まあ、普通はそういう意味だ。
どうした？　君にはここは少し暑いか？

ジョー：いえいえ。急いで来たので。

支局長：それは当然だな、これほど重要な記事だからな。
王女はグレーの服を着ていたと言ったかな？

ジョー：いえ、そうは言ってません。

支局長：まあ、いつもはグレーをお召しになる。

この音変化に注意！

got a ⇒ gora
母音＋[t]＋母音で、[t]は「ラ」のような音に変わる

lead the ⇒ lea' the
[d]＋[th]で前の[d]が抜け落ちる

is it a ⇒ izira
母音＋[t]＋母音で、[t]は「ラ」のような音に変わる

for ⇒ f'r
forは[f]と弱くなる

Dio you ⇒ Didju
[d]+[j]は[dʒ]に変わる

didn't say ⇒ didn' say
[t]+[s]で、前の[t]が抜け落ちる

● Youth（若者）とジョーが答えたのは、道端でのアンの若者に関する発言を思い浮かべたため（⇒P62）。そして、アンのイメージをもとに支局長の質問に答えている。

JOE: Oh, well, er, it was a...kind of a gray.

HEN: Oh, I think I know the dress you mean. It has a gold collar around the neck.
dreshu

JOE: That's the one, that's the one.
Yeah, I didn't know exactly how to describe it but that's it, yeah.
describ'it

HEN: I think you described it very well.
In view of the fact that Her Highness was taken violently ill at three o'clock this morning, put to bed with a high fever, and has had all her appointments for today cancelled *in toto*!
pu' to

JOE: *In toto?*

HEN: Yes, Mr. Bradley, *in toto.*

JOE: Certainly pretty hard to swallow.
har' to

HEN: In view of the fact that you just left her, of course. But here it is, Mr. Bradley, all over the front page of every newspaper in Rome!
thatju

JOE: All right, all right, I overslept. It can happen to anybody!
c'n

HEN: If you ever got up early enough to read a morning paper, you might discover little news events, little
gorap

この表現に注目！

- it was a...kind of a gray. の kind of は「〜系の」「ちょっとした」という意味。断定を避けるフレーズ。そのため、I'm busy now.（今忙しいんだ）と言うより、I'm kind of busy now.（今ちょっと忙しいんだ）と言うほうがやわらかく響く。
- *in toto* はラテン語で「すべて」や「完全に」という意味。

ジョー：そうですね、グレー系でしたね。

支局長：君が言う服のことは分かる気がする。金の襟がついてるもの。

ジョー：それです。それですよ。ええ。どう説明すればいいかよく分からなくて。それです。

支局長：実にうまく説明してくれたと思うよ。王女殿下は今朝の3時に突然ご発病、高熱で床にふされ、今日のご予定はすべて中止ということを考えるとな！

ジョー：すべて？

支局長：そう、ブラッドレー君。すべてだ。

ジョー：とても呑み込みがたいです。

支局長：今、王女の所から戻ってきたばかりだということを考えるとな。しかし、これだよブラッドレー君、ローマ中の新聞の一面を飾ってるぞ。

ジョー：はいはい、寝過ごしました。誰にもありますよ。

支局長：普段から早起きして、朝刊を読んでいれば、ちょっとしたニュースになる事件や世間が関

この音変化に注意！

dress you ⇒ dreshu
[s]+[j] は [ʃ] に変わる

describe it ⇒ describ'it
[v]+ 母音で音がつながる

put to ⇒ pu' to
同じ音が続けば、前の音が抜け落ちる

hard to ⇒ har' to
似た音が続けば、前の音が抜け落ちる

that you ⇒ thatju
[t]+[j] は [tʃ] に変わる

can ⇒ c'n
can は c'n と弱くなる

got up ⇒ gorap
母音＋[t]+ 母音で、[t] は「ラ」のような音に変わる

●ジョーがサンドイッチをごくりと呑み込んだ後、Certainly pretty hard to swallow.（呑み込みがたいです）と言っているのが面白い。swallow に、gulp down（呑み込む）と understand（理解する）の2重の意味をもたせている。

items of general interest that might **prevent you** in the future from getting enmeshed in **such a** gold-plated, triple-decked, star-spangled lie as you have just told me!
preventju
sucha

If I were you, I **would try** some other line of business, like mattress testing!
woul' try

JOE: Is this...the Princess?

HEN: Yes, Mr. Bradley! That is the Princess.
It **isn't Annie** Oakley, Dorothy Lamour, or Madame Chiang Kai-Shek. **Take a** good **look at** her.
isn' Annie
Tak'a lookat

⇒ 144 p.266

You might be interviewing her again some day!

JOE: Am I fired?

HEN: No, you're not fired. When I **want to** fire you, you won't **have to** ask. You'll know you're fired!
wanna
hafto
The man's mad!

【オフィス入り口・電話】
ジョーの大家への依頼

GIO: *Pronto.*

JOE: Giovanni, it's Joe Bradley. Now, listen carefully.

この表現に注目！

● Annie Oakleyはテレビや映画「アニーよ銃をとれ」の人気主人公、Dorothy Lamourは女ターザンとしてスターになったセクシー女優、Madame Chiang Kai-Shekは「蒋介石夫人（宋美齢）」。いずれも当時有名な女性で、支局長はアン王女を知らないジョーを責めている。

心を持つ事柄に気づくはずだ。そうすれば、君が今ついたような金メッキの、3段飾りの、星を散りばめたウソで身動きがとれなくなるようなことはこの先なくなるよ。
もし私が君なら他の職に就くね。マットレスの検査とか！

ジョー：これが王女ですか？

支局長：そうだ、ブラッドレー君！　それが王女だ。アニー・オークレーでもドロシー・ラムーアでもなきゃ蒋介石夫人でもない。よく見ておけ。
またいつか王女にインタビューするかもしれんからな！

ジョー：僕はクビですか？

支局長：いや、クビじゃない。私がクビにしたいときは、聞く必要がない。クビになったと自分で分かるよ！
あの男、狂ってるよ！

大家：もしもし。

ジョー：ジョバンニか？　ジョー・ブラッドレー

この音変化に注意！

prevent you ⇒ preventju
[t]+[j] は [tʃ] に変わる

such a ⇒ sucha
[tʃ]+ 母音で音がつながる

would try ⇒ woul' try
似た音が続けば、前の音が抜け落ちる

isn' t Annie ⇒ isn' Annie
[n]+[t] で [t] が抜け落ちてつながる

Take a ⇒ Tak'a
[k]+ 母音で音がつながる

look at ⇒ lookat
[k]+ 母音で音がつながる

want to ⇒ wanna
want to は wanna に変わる

have to ⇒ hafto
有声音が、無声音の影響で無声音に変わる

● Take a good look at her.（彼女をよく見るんだ）のように口語では「動詞＋形容詞＋名詞」のパターンがよく使われる。英語のリズムがよくて言いやすいため。Let me make a quick call.（ちょっと電話させて）などと使える。
● Am I fired? の fired は「クビになる」。He got fired. なら「彼はクビになった」。

I want you to hurry up to my place and see if there's somebody there, asleep.
wantju

GIO: Aha! *Si*, Mr. Joe, I look *subito*, you wait - *aspetta*.

GIO: Mr. Joe?

JOE: Yeah! Er, yeah, yeah, yeah, tell me, tell me!

GIO: *Bellissima!*

JOE: Giovanni, I love you! Now, listen!

GIO: Yes, Mr. Joe - a gun? No!

JOE: Yes, a gun, a knife, anything! But nobody goes in and nobody goes out! *Capito?*

GIO: Okay.

この表現に注目！

● *bellissima* はイタリア語で「美しい」で、大家はアンのことをジョーの恋人と勘違いしている。

だ。いいか、よく聞いてくれ。急いで僕の部屋へ行って、誰か眠っているか見てきてくれ。

大家：ああ！　*分かったよ*、ジョーさん。すぐ見てくるから待って、*待ってな*。

大家：ジョーさん？

ジョー：そうだ、そうだ。教えて、教えてくれ！

大家：*べっぴんさんだ！*

ジョー：ジョバンニ、よくやった！　いいか、よく聞け！

大家：はい、ジョーさん。鉄砲？　いかんな！

ジョー：いいんだ、鉄砲でもナイフでも何でもいい！　誰も部屋に入れるな、誰も部屋から出すな！　*分かったか？*

大家：分かった。

この音変化に注意！

want you ⇒ wantju
[t]+[j] は [tʃ] に変わる

- I love you! は「大好きだ！」だが、ここでは「よくやった！」の意味。
- ジョーは、特ダネのもとである王女を逃がさないように、But nobody goes in and nobody goes out! と大家に言っている。

Chapter 12

【支局長のオフィス】

ジョーと支局長の賭け

HEN: You still here?

JOE: How much would a real interview with this dame be worth?
(would a: woulda / with this: wi' this)

HEN: Are you referring to Her Highness?

JOE: I'm not referring to Annie Oakley, Dorothy Lamour, or Madame Chia... How much?

HEN: What do you care? ⇒ 180 p.272
(What do you: Whadya)
You've got about as much chance of getting...

JOE: I know, but if I did, how much would it be worth?
⇒ 34 p.251

HEN: Oh, just a plain talk on world conditions, it might be worth two hundred and fifty. Her views on clothes, of course, would be worth a lot more - maybe a thousand.
(talk on: talkon / might be: migh' be / would be: woul' be)

JOE: Dollars?

HEN: Dollars.

JOE: I'm talking about her views on everything.

この表現に注目！

●支局長が Are you referring to Her Highness? と聞いたのに対して、ジョーは I'm not referring to Annie Oakley... と言い返して、1本取られたのを取り返している。

支局長：まだいたのか？

ジョー：このご婦人との真(しん)のインタビューの価値はどれくらいですか？

支局長：王女殿下のことを言っているのか？

ジョー：アニー・オークレーでもドロシー・ラムーアでも蒋介石夫人でも…いくらです？

支局長：何が気がかりだ？
そんな機会があるはずは…

ジョー：分かってますよ。でも、もし取れたら、どれくらいの価値がありますか？

支局長：世界情勢に関する普通の話なら250。服装に関するお考えなら、もちろんもっと価値がある…1000ぐらい。

ジョー：ドルで？

支局長：ドルでだ。

ジョー：王女のあらゆる分野に関するお考えのこと

この音変化に注意！

would a ⇒ woulda
[d]+母音で音が**つながる**

with this ⇒ wi' this
同じ音が続けば、前の音が**抜け落ちる**

What do you ⇒ Whadya
What do youでは[t]が[d]になるか**抜け落ちる**

talk on ⇒ talkon
[k]+母音で音が**つながる**

might be ⇒ migh' be
[t]+[b]で、前の[t]が**抜け落ちる**

would be ⇒ woul' be
[d]+[b]で、前の[d]が**抜け落ちる**

● if I did, how much would it be worth? は仮定法。「もし、インタビュー記事を取れたとしたら、どれくらいの価値があるでしょうか？」といったニュアンス。

HEN: Huh?

JOE: The private and secret longings of a princess... her innermost thoughts as revealed to (reveal' to) your Rome correspondent in a (ina) private, personal, exclusive interview. Can't use (Can' use) it, huh?
I didn't think you'd like it.

HEN: Come here! Love angle too, I suppose?

JOE: Practically all love angle.

HEN: With pictures.

JOE: Could be. How much?

HEN: That particular story would be (woul' be) worth five grand to (gran' to) any news service. But, er, tell me Mr. Bradley, if you are sober, just how you are going to obtain this fantastic interview?

JOE: I plan to enter her sickroom disguised as a thermometer. You said five grand? I want you (wantju) to shake on that (on 'at). ⇒ 61 p.254

HEN: Ah, you realize, of course, Her Highness is in

この表現に注目！

- Can't use it, huh? は You can't use it, huh? のこと。
- Could be. は It could be with pictures. の略で、「記事には写真をつけることもできる」といったニュアンス。

を言っているんですが。

支局長：えっ？

ジョー：王女の個人的な密かな憧れ、王女の深く密かな想いがこのローマ支局特派員の独占インタビューで明かされたら？　使えませんね。お好みじゃないと思っていました。

支局長：こっちへ来い！　恋愛の話もあるんだろうな？

ジョー：恋愛のあらゆる面が。

支局長：写真つきか？

ジョー：たぶん。でいくらに？

支局長：その特ダネならどこの通信社でも5000は出すだろう。だが、教えてくれ、ブラッドレー君、君がしらふなら、一体どうやってこの途方もないインタビューをモノにするつもりか？

ジョー：体温計に化けて王女の病室に入り込む計画です。5000と言いましたね。それでは約束の握手をしてください。

支局長：あー、もちろん分かっているだろうが、王

この音変化に注意！

reserved to ⇒ reveal' to
似た音が続けば、前の音が抜け落ちる

in a ⇒ ina
[n]+母音で音がつながる

Can't use ⇒ Can' use
[n]+[t]で[t]が抜け落ちてつながる

would be ⇒ woul' be
[d]+[b]で、前の[d]が抜け落ちる

grand to ⇒ gran' to
似た音が続けば、前の音が抜け落ちる

want you ⇒ wantju
[t]+[j]は[tʃ]に変わる

on that ⇒ on 'at
[n]+[th]で、[th]は[n]の音に変わる

● grandは1000ドルのことで、five grandは5000ドル。grandはa grand sum of money（大金）が1000ドルを意味したことが語源。ポピュラーになったのでGと略される。

bed today and leaves for Athens tomorrow?
be' today f' r

JOE: Yep.

HEN: Ah, now I'd like to make a little side bet with you. Five hundred says you don't come up with the story. What are you looking at that for?
sayzju wi' the lookin'

JOE: Oh, I just want to see what time it is.
wanna

HEN: Huh?

JOE: Er, what day it is, er - It's a deal! ⇒ 101 p.260

HEN: Now I'd like you to shake. Let's see, you're into me for about five hundred now. When you lose this bet, you'll owe me a thousand.
Why, you poor sucker, I'll practically own you!

JOE: You have practically owned me for a couple of years now.
coupla
But that's all over. I'm going to win that money and with it, I'm going to buy me a one-way ticket back to New York!
gonna win 'at gonna

HEN: Go on, go on. I love to hear you whine!

JOE: And when I'm back in a real newsroom, I'll enjoy thinking about you, sitting here with an empty
backina withanempty

この表現に注目!

● Five hundred says you don't come up with the story. は、「その記事が取れないほうに500ドルを賭ける」という意味。このsays（～ということに賭ける）の使い方に注意。

女殿下は今日ご病床で、明日にはアテネにご出発だ。

ジョー：ええ。

支局長：じゃあ、ついでに君とちょっとした賭けをしたいのだが。その記事が取れなければ500だ。何でそれを見ている？

ジョー：いや、何時か知りたくて。

支局長：えっ？

ジョー：何曜日かと。では、それで取引しましょう。

支局長：では握手をしてくれたまえ。えっと、今君には500くらいの貸しがあるから、この賭けに負けたら、1000の貸しになる。おめでたいヤツだな。実質、私の奴隷になるぞ。

ジョー：この数年は実質、支局長の奴隷でしたが、それもすべて終わり。
その金を勝ち取って、ニューヨークへ戻る片道切符を買います！

支局長：もっと言え、もっと。お前の泣き言を聞くのはたまらないよ！

ジョー：そして本社の編集部に戻ったら、支局長のことを思い浮かべて楽しみますよ。ここに座っ

この**音変化**に注意！

bed today ⇒ be' today
似た音が続けば、前の音が**抜け落ちる**

for ⇒ f' r
for は [f] と**弱くなる**

says you ⇒ sayzju
[z]+[j] は [ʒ] に**変わる**

with the ⇒ wi' the
同じ音が続けば、前の音が**抜け落ちる**

looking ⇒ lookin'
-ing は弱くなって -in' に**変わる**

want to ⇒ wanna
want to は wanna に**変わる**

couple of ⇒ coupla
of が入った語句では、[v] が**抜け落ちて**前の音と**つながる**

going to ⇒ gonna
going to は gonna に**変わる**

win that ⇒ win 'at
同じ音が続けば、前の音が**抜け落ちる**

back in a ⇒ backina
[k]+ 母音で音が**つながる**
[n]+ 母音で音が**つながる**

with an empty ⇒ withanempty
[n]+ 母音で音が**つながる**

- sucker は「おめでたい人」「だまされやすい人」。
- a real newsroom は「地方に対する本物の編集室」のことで、ジョーは「本社の編集部」を意味している。

leash in your hands and nobody to twitch for you!

HEN: So long, pigeon.

この**表現**に注目！

● leash は（動物をつなぐ）「皮ひも」。

● twitch は「ぐいと引っ張る」。首輪に皮ひもをつけて、急に引っ張っていじめるといったニュアンス。

て、空の手綱を握って、誰もいじめる者がいない
姿をね！

支局長：あばよ、カモ君。

● So long は「さよなら」「それじゃ」で、カジュアルな表現。親しい間柄で用いる。
● pigeon は米俗語で「カモ」「まぬけ」「だまされやすい人」。

Chapter 13

【ジョーのアパート・中庭】

ジョーの借金話

GIO: Hup.

KDS: *All'assalto! All'assalto!* Bang - bang!

GIO: *Fermi esagitati! - Basta! Se poi ragazzina si desta, ho montato la guardia fin qra.*

KDS: *All'assalto!*

GIO: *Via! Mascalzoni farabutti!*

JOE: *Ciao, ragazzi.*

KDS: Hi, Joe. *Bongiorno signore.*

GIO: *Signore* Mr. Bradley.

JOE: Everything okay, Giovanni?

GIO: Si, *signore* Joe, uh, nobody has come, nobody has go, absolutely nobody.

JOE: Swell! thanks a lot. Oh, er, Giovanni, er... how would you (wouldju) like to make some money (so' money)? ⇒ 35 p.251

この表現に注目！

- *Basta!* は Enough!（もう十分、やめろ）。*Via!* は Away!（あっちへ行け）。
- *Ciao, ragazzi.* は Hi, boys.（やあ、みんな）。

大家 ：はっ。

子ども ：突撃！　突撃！　バーン、バーン！

大家 ：やめろ、うるさいヤツらだ。もうたくさんだ！女が目を覚ますじゃないか、今まで見張っていたのに。

子ども ：突撃！

大家 ：あっちへ行け！

ジョー ：やあ、みんな。

子ども ：ジョーさん。こんにちは。

大家 ：ブラッドレーさん。

ジョー ：すべて順調か、ジョバンニ？

大家 ：へえ、ジョーさん、誰も来ていない、誰も出ていない、絶対誰も。

ジョー ：すばらしい！　どうもありがとう。えーと、ジョバンニ、金儲けするのはいかがかな？

この音変化に注意！

would you ⇒ wouldju
[d]+[j] は [dʒ] に変わる

some money ⇒ so' money
同じ音が続けば、前の音が抜け落ちる

● nobody has come, nobody has go はイタリア人の大家が話しているので [h] が発音できず nobody is come, nobody is go のように聞こえる。なお、has go は has gone の誤り。

GIO: Money?

JOE: Yeah.

GIO: *Magari*...

JOE: That's the stuff. ⇒ 155 p.268
Now, look, I've got a sure thing.
gora
Double your money back in two days.

GIO: Double my money?

JOE: Yeah, well, I need a little investment capital to
needa
swing the deal. Now, if you'll just lend me a little
len' me
cash, I...

GIO: *Ma che son scemo?*

JOE: Uh...

GIO: You owing me two months' rent...

JOE: I know, I know, I know.

GIO: And you want me to lend you money?
lendju

JOE: Yeah.

GIO: No. *Certamente*, no! Uh!

JOE: Tomorrow, you'll be sorry! ⇒ 226 p.278

この表現に注目！

- ジョーのI know... の部分は、ほとんど聞こえない。
- *Magari.* はI wish I could.（そうできたらいいのに）。
- *Ma che son scemo?* はBut am I that stupid? の意味で、英語ではAre you kidding?（からかってるの？）。*Certamente* はCertainly（確実に）。

大家：金かい？

ジョー：そうだ。

大家：*できたらね…*

ジョー：そうこなくちゃ。
いいかい、確実な話がある。
君の金を2日で2倍にして返す。

大家：金が2倍に？

ジョー：そうだ、その取引を進めるには少し資本が要るんだ。ちょっと貸してくれれば…

大家：*わたしゃバカじゃないよ。*

ジョー：*えっ？*

大家：2ヵ月も家賃をためてるのに。

ジョー：分かっているよ、分かっている。

大家：まだ金を貸してほしいのか？

ジョー：そうだ。

大家：ヤダね。*絶対ダメ！*

ジョー：明日、後悔するぞ！

この音変化に注意！

got a ⇒ gora
母音+[t]+母音で、[t]は「ラ」のような音に変わる

need a ⇒ needa
[d]+母音で音がつながる

lend me ⇒ len' me
[d]＋[m]で、前の[d]が抜け落ちる

lend you ⇒ lendju
[d]+[j]は[dʒ]に変わる

● Tomorrow, you'll be sorry!（明日になれば後悔するぞ）は相手のことを非難する表現。Believe me, or you'll be sorry. と言えば、「僕を信じなければ後悔するぞ」。

Chapter 14

【ジョーのアパート・室内】

ジョーとアン王女の自己紹介

JOE: Your Highness? Your Royal Highness?

ANN: Yes... what is it?
Dear Dr. Bonnachoven...

JOE: Hmm? Oh, oh, sure - yes. ⇒ 143 p.266
Well, er...er, you're fine...much better. Is there anything you want? ⇒ 94 p.259

ANN: Hmm? So many things.

JOE: Yes? Well, tell the doctor.
do'tor

ANN: So... many...

JOE: Tell the good doctor everything.
goo' do'tor

ANN: Mmmmm, I dreamt and I dreamt...
dreamtan'

JOE: Yes? Well, er, what did you dream?
didju

ANN: I dreamt I was asleep in a street...and a young man came and he was tall and strong...and he was so mean to me.
ina / 'e was

JOE: He was?

この表現に注目！

● I dreamt I was asleep in a street...and a young man came, he was tall and strong...he was so mean to me. はかなり聞きづらい。and a や he was などがささやく感じではっきり発音されていないため。

ジョー：王女様？　王女殿下？

アン：ええ…何の用です？
ボナコーベン先生…

ジョー：え？　そう、はい。
大丈夫です。かなり回復なさいました。何かご入り用で？

アン：たくさんあるわ。

ジョー：では、私にお申しつけを。

アン：とても…たくさん…

ジョー：この私に何なりとお話しください。

アン：うーん、夢ばかり見ていました…

ジョー：さようで？　あのー、どんな夢をごらんに？

アン：道で眠ってしまったら、若い男の方がいらしたの。背が高くて、たくましい人…でもとても意地悪で。

ジョー：その人が？

この音変化に注意！

doctor ⇒ do'tor
[c]+[t] と続くと、[c] が消える

good doctor ⇒ goo' do'tor
同じ音が続けば、前の音が抜け落ちる

dreamt and ⇒ dreamtan'
and は an' や 'n' のように弱くなる

did you ⇒ didju
[d]+[j] は [dʒ] に変わる

in a ⇒ ina
[n]+ 母音で音がつながる

he was ⇒ 'e was
he は弱くなり [h] が落ちる

- dreamt は dreamed のことで、主にイギリス英語。
- It was wonderful.（楽しい夢でした）はジョーが意地悪だったといいながらもアンが好意を抱いている感じ。

ANN: Mmmm. It was wonderful. ⇒ 99 p.260

JOE: Good morning.

ANN: Where's Dr. Bonnachoven?

JOE: Er, I'm afraid I don't know anybody by that name.
I' mafraid
⇒ 78 p.257

ANN: Wasn't I talking to him just now?
to 'im

JOE: Afraid not.

ANN: Have...have I had an accident?
hav'I hadanaccident

JOE: No.

ANN: Quite safe for me to sit up, huh? ⇒ 133 p.265

JOE: Yeah, perfect.

ANN: Thank you. Are these yours?

JOE: Er, did...did you lose something?
didju

ANN: No...no. W-would you be so kind as to tell me w-where I am?
wouldju wher'I
⇒ 204 p.275

JOE: Well, this is what is laughingly known as my apartment.
apar'men'

ANN: Did you bring me here by force?
Didju

この表現に注目！

●アンが目覚めると天井が違っている（⇒ P50）。
●アンは、パジャマの下がどうなっているか確認したのに対して、ジョーは did you lose something?（何か無くしたの？）ととぼけている。アンは、パジャマの上だけを着て寝たいと言っていた（⇒ P38）。

アン：ふーん、楽しい夢でした。

ジョー：おはよう。

アン：ボナコーベン先生はどちらに？

ジョー：えー、あいにくそんな名前の人は知らない。

アン：今、私が話していなかった？

ジョー：いえ、そういうことは。

アン：私、事故にあったの？

ジョー：いいえ。

アン：起きても大丈夫？

ジョー：ええ、まったく。

アン：ありがとう。これ、あなたの？

ジョー：あの、何か無くしたの？

アン：いいえ。恐れ入りますが、ここがどこなのか教えていただけますか？

ジョー：笑えるだろうが僕のアパートだよ。

アン：無理やり私をここに連れてきたの？

この音変化に注意！

I'm afraid ⇒ I'mafraid
[m]+母音で音がつながる

to him ⇒ to 'im
him は弱くなり [h] が落ちる

have I ⇒ hav'I
[v]+母音で音がつながる

had an accident ⇒ hadanaccident
[d]+母音で音がつながる

did you ⇒ didju
[d]+[j] は [ʤ] に変わる

would you ⇒ wouldju
[d]+[j] は [ʤ] に変わる

where I ⇒ wher'I
[r]+母音で音がつながる

apartment ⇒ apar'men'
[t]+[m] で、前の [t] が抜け落ちる
単語の最後の破裂音は消える

● Would you be so kind as to tell me where I am? は非常にていねいな言葉遣い。Would you は「もしよろしければ」という仮定の表現で控えめなニュアンス。

JOE: No, no, no, quite the contrary.
qui' the

ANN: Have I been here all night...alone?

JOE: If you don't count me, yes.
coun' me

ANN: So I spent the night here...with you. ⇒ 108 p.261
spen' the

JOE: Oh, well, now, I- I don't know if I'd use those words exactly, but, er, from a certain angle - yes.

ANN: How do you do? ⇒ 32 p.250

JOE: How do you do? ⇒ 32 p.250

ANN: And you are...? ⇒ 3 p.246

JOE: Bradley, Joe Bradley.

ANN: Oh, uh, delighted.

JOE: You don't know how delighted I am to meet you.
mee' you
⇒ 213 p.276

ANN: You may sit down. ⇒ 217 p.277

JOE: Well, thank you very much.
What's your name? ⇒ 194 p.274
Whatjur

ANN: Er...you may call me...Anya.

JOE: Thank you, Anya.

この表現に注目！

● I don't know if I'd use those words exactly, but er, from a certain angle, yes. で、ジョーは「正確にはそういう言葉を使うかどうか分からない」とやんわりと否定している。from a certain angle は「ある角度からみれば」で日本語とまったく同じニュアンス。

ジョー：いえいえ。まったくその逆。

アン：ここで一夜を過ごしたの…私1人で？

ジョー：僕を除けば、そう。

アン：では、あなたと一夜を共にしたのね。

ジョー：えっ、その表現が適切かどうかよく分からないけど。ある見方では、そう。

アン：はじめまして。

ジョー：はじめまして。

アン：それであなたは…？

ジョー：ブラッドレー、ジョー・ブラッドレー。

アン：嬉しく思います。

ジョー：僕のほうこそお会いできて、どんなに嬉しいことか。

アン：お掛けなさい。

ジョー：これは、どうも。
名前は？

アン：えー、アーニャと呼んでいいわ。

ジョー：ありがとう、アーニャ。

この音変化に注意！

quite the ⇒ qui' the
[t]+[ð]で、前の[t]が抜け落ちる

count me ⇒ coun' me
[t]+[m]で、前の[t]が抜け落ちる

spent the ⇒ spen' the
[t]+[ð]で、前の[t]が抜け落ちる

meet you ⇒ mee' you
[t]+youで[t]が抜け落ちる

What's your ⇒ Whatjur
[t]+[j]は[tʃ]に変わる

- You don't know how delighted I am to meet you? とジョーは大げさな表現を使っているのは、これが特ダネだと思っているため。
- What's your name? とジョーは、アンの正体を知っていながら、わざとカジュアルな感じで名前を聞いている。

Would you like a cup of coffee? ⇒ 207 p.275
Wouldju cuppa coffee

ANN: What time is it? ⇒ 187 p.273

JOE: Oh, about one thirty.
Oh, 'bout

ANN: One thirty!
I must get dressed and go!
dressedan' go

JOE: Why? What's your hurry? ⇒ 193 p.273
There's lots of time. ⇒ 162 p.269
losta time

ANN: Oh no, there isn't and I've...I've been quite enough trouble to you as it is.

JOE: Trouble? You're not what I'd call trouble.
I' call

ANN: I'm not?

JOE: I'll run a bath for you.
runa
There you are.

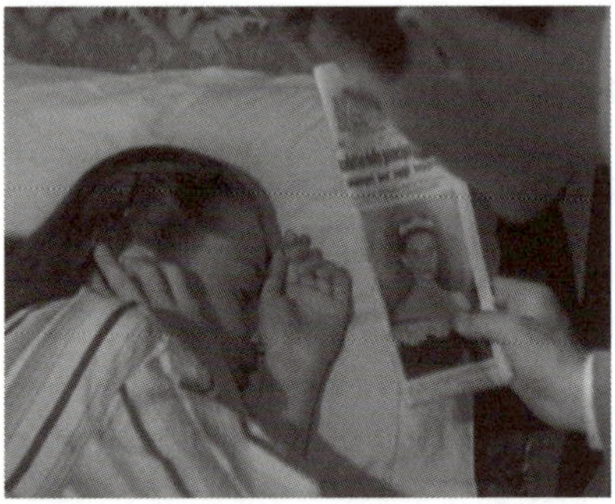

この表現に注目！

● What's your hurry?（何で急いでいるの？）は反語で「そんなに急がなくてもいいのに」といった感じで使える。There's lots of time.（時間はたっぷりある）などと理由をつけて。

コーヒーはいかが？

アン：今、何時？

ジョー：1時半ぐらい。

アン：1時半！
着替えて行かなくては！

ジョー：どうして？　何で急いでいるの？
時間はたっぷりある。

アン：いいえ、ないの、それにこんなにご迷惑をおかけして。

ジョー：迷惑だって？　迷惑なんてとんでもない。

アン：本当に？

ジョー：お風呂を入れてあげよう。
さあどうぞ。

この音変化に注意！

Would you ⇒ Wouldju
[d]+[j] は [ʤ] に変わる

cup of coffee ⇒ cuppa coffee
of が入った語句では、[v] が抜け落ちて前の音とつながる

Oh, about ⇒ Oh, ' bout
あいまいな母音は消える

dressed and go ⇒ dressedan' go
and は an' や 'n' のように弱くなる

lots of time ⇒ losta time
of が入った語句では、[v] が抜け落ちて前の音とつながる

I'd call ⇒ I' call
[d]+[c] で、前の [d] が抜け落ちる

run a ⇒ runa
[n]+ 母音で音がつながる

● I'm not? は I'm not what you'd call trouble?（私はあなたが言うトラブルではないの？）の略。ジョーの言葉を聞いて、アンはほっとして喜んでいる。

Chapter 15

【彫刻家のスタジオ】

相棒のカメラマンへの電話

JOE: *Posso telephonare?*

SCL: *Prego, prego.*

JOE: *Solo un moment. Grazie.*

IRV: Here we go now. ⇒ 27 p.250
There you are. That does it. ⇒ 150 p.267 All right.
Oh. Give me a little slack, will you? ⇒ 22 p.249
Gimme　　will ya
Pronto?

JOE: Irving! Why don't you answer the phone?
Look, this is Joe. Irving, can you get over here
getover
in about five minutes?
inabout

IRV: Oh, no, I can't come now, Joe. ⇒ 39 p.251
I'm busy. Oh, no. ⇒ 79 p.257
Joe, I'm up to my ears in work.
I'mup
Go on, get into your next outfit, will you, honey?
will ya
The canoe. What kind of a scoop, Joe?
kindva

JOE: Look, Irving, I can't talk over the telephone.
⇒ 40 p.251

この表現に注目！

● Give me a little slack, will you?（ちょっと休ませてくれ）のGive me..., will you? は家族や親しい人に気楽に頼む表現。Give me a hand, will you?（手伝ってくれよ）、Give me some time, will you?（少し時間ちょうだい）などと使える。

ジョー：*電話を使っても?*

彫刻家：*どうぞ、どうぞ。*

ジョー：*ほんのちょっとだけ。どうも。*

アービング：さあ行くぞ。
その調子。これでよし。いいぞ。
おお、ちょっと休ませてくれ。
もしもし?

ジョー：アービング!　何で電話に出ない?
いいか、ジョーだ。5分くらいでこっちに来れるか?

アービング：ダメだね。今は行けないよ、ジョー。
忙しいんだ。おい、こら。
ジョー、仕事にどっぷりなんだ。次の衣装に着替えて、いいね、君?　カヌーだ。どんなスクープだ、ジョー?

ジョー：いいか、アービング、電話では話せない。
間違った筋にひとことでも漏れたら、すべてが空

この音変化に注意!

Give me ⇒ Gimme
[v]+[m] で][v] が [m] に変わる

will you ⇒ will ya
you は弱くなり、yu や ya と変わる

get over ⇒ getover
[t]+ 母音で音がつながる

in about ⇒ inabout
[n]+ 母音で音がつながる

I'm up ⇒ I'mup
[m]+ 母音で音がつながる

will you ⇒ will ya
you は弱くなり、yu や ya と変わる

kind of a ⇒ kindva
kind of は、of の発音により kindv や kinda に変わる

- I'm up to my ears in work. は「仕事で身動きがとれない」。
- I can't talk over the telephone.（電話では話せないんだ）は、今は over the phone と略される。電話がかかってきた場合、I can't talk right now.（今は話せないんだ）と応用できる。

One word in the wrong quarter and this whole thing might blow sky-high.
It's front-page stuff, that's all I can tell you.
It might be political or it might be a sensational scandal, I'm not sure which, but it's a big story.
(migh' be / migh' be)
It's got to have pictures! ⇒ 102 p.260
(gotta)

IRV: But I can't come now, Joe. I'm busy.
I'm busy now and I'm meeting Francesca at Rocca's in a half an hour and...
(ina / halfan'our)

【ジョーのアパート・室内】
「大家の妻のアンへの説教」

LUI: Ah!
Ma guarda - cosa fa qui?

ANN: *Scusi.*

LUI: *Ma che "scusi?" Un bel niente "scusi".*
Fuori subito.

ANN: *Nh, nh, nh, no.*

LUI: *Fuori subito! Bella vita, eh? Comoda, eh? Ma lo sa, bella vita!*
Ma se io fossi la sua Mamma, ma sa quanti schiaffi le darei? Sciaffi da farle la faccia cosi!

この表現に注目！

- One word...and は、If one word is in the wrong quarter,（もし間違った筋の人たちに伝われば、）のこと。a certain quarter と言えば、「ある筋」。
- might は可能性が低く 30%くらい。may なら可能性が半分くらい。

中分解するかも。
1面トップのネタだ、それしか言えない。政治的なものか世間が騒ぐスキャンダルか分からないが、とにかく大きな記事になる。
それには写真がどうしても要るんだ。

アービング：でも、今は行けないよ、ジョー。
忙しいんだ。今は忙しいし、30分したらフランチェスカとロッカズでデートだ、それに…

大家妻：*おやまあ。ここで何を？*

アン：*失礼。*

大家妻：*失礼もないものだ。すぐ出ていきな。*

アン：*いえ、いいえ。*

大家妻：*早く、外へ！*
お気楽だね。楽しい人生だね。私が母親なら顔をひっぱたくよ。顔がこんなに腫れ上がるくらいに！

この音変化に注意！

might be ⇒ migh' be
[t]+[b]で、前の[t]が抜け落ちる

got to ⇒ gotta
got toは、早口ではgottaのように変わる

in a ⇒ ina
[n]+母音で音がつながる

half an hour ⇒ halfan'our
[f]+母音で音がつながる
[n]+母音で音がつながる

- *Ma guarda.*は「おや見てごらん」のことで、英語のOh, look. *Cosa fa qui?*は直訳ではWhat you do here?で、What're you doing here?（ここで何してんの？）の意味。*Scusi*はExcuse me.
- *Fuori subito!*は「すぐ出ていきな！」。*Bella vita*はGood life（いい生活・人生）。

Mhhh - capito?

ANN: *Nnnn...non capito.* Don't understand.

LUI: Don't understand?
Don' understand
Uhhhh! Vergogna! Eeh!

この表現に注目！

● *capito?* は you understand? の意味。

分かったかい?

アン:*分かりません。分かりません。*

大家妻:ワカリマセン?
この恥知らず! ふん!

この音変化に注意!

Don't understand
⇒ Don' understand
[n]+[t] で [t] が抜け落ちてつながる

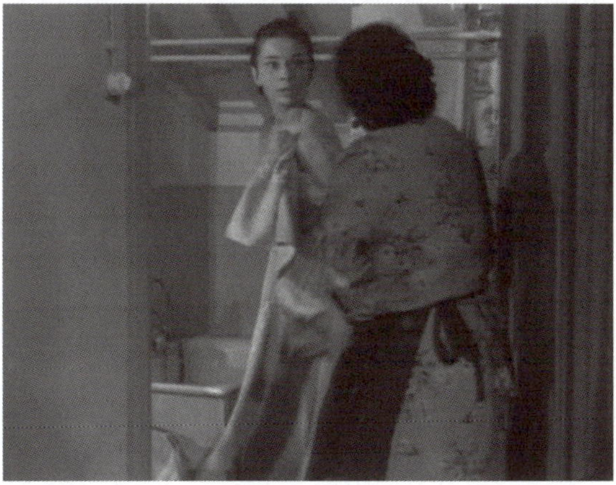

●アン王女はイタリア語が分かるが、ここでは非常に早口でどなられたため動転して *non capito*(Don't understand.)と言っている。

Chapter 16

【ジョーのアパート・テラス】

ジョーとアン王女のお別れ

JOE: There you are!

ANN: I was looking at all the people out here.
It must be fun to live in a place like this. ⇒ 97 p.260
liv'na

JOE: Yeah, it has its moments. I can give you a running commentary on each apartment.
c'n

ANN: I must go.

JOE: Hmm?

ANN: I only waited to say goodbye. ⇒ 59 p.254
waite' to

JOE: Goodbye? But, we've only just met. ⇒ 174 p.271
How about some breakfast? ⇒ 30 p.250
How 'bout

ANN: I'm sorry, I haven't time. ⇒ 86 p.258

JOE: Must be a pretty important date, to run off without eating.
Mus' be

ANN: It is.

JOE: Well, I'll go along with you, wherever you are going.

この表現に注目！

● There you are! は、ここでは「そこにいたんだ！」という意味。「さあどうぞ」や「はいどうぞ」と人に何かあげたり進めたりするときにも使える。ジョーは前にも「お風呂にどうぞ」という意味で使っている（⇒ P118）。

ジョー：ここにいたんだ！

アン：ここから人通りを見ていたの。こんな場所で暮らすのはきっと楽しいでしょうね。

ジョー：ああ、そういうときもあるよ。各アパートの実況解説をしようか。

アン：もう行かなければ。

ジョー：え？

アン：お別れを申し上げようと待っていただけなの。

ジョー：お別れ？　でも、会ったばかりじゃないか。朝食でもどう？

アン：残念ですが、時間がないの。

ジョー：よっぽど大事な約束なんだね、食事もしないほど急いでるなんて。

アン：そうなの。

ジョー：じゃ、僕も一緒に行こう、君の行くところまで。

この音変化に注意！

live in a ⇒ liv'ina
[v]+母音で音が**つながる**

can ⇒ c'n
can は c'n と**弱くなる**

waited to ⇒ waite' to
似た音が続くと前の音が**抜け落ちる**

How about ⇒ How 'bout
あいまい母音は**消える**

Must be ⇒ Mus' be
[t]+[b] で、前の [t] が**抜け落ちる**

● It must be fun to live in a place like this.（こういった場所で暮らすのはきっと楽しいでしょうね）の It must be... は「きっと…だ」と確信があるときに使う。この後ジョーも (It) Must be a pretty important date...（よっぽど大事な約束なんだね）と使っている。

ANN: That's all right, thank you. I can find the place.

【ジョーのアパート・室内】
さようなら

ANN: Thank you for letting me sleep in your bed.
sleepin
⇒ 148 p.267

JOE: Oh, that's all right. Think nothing of it. ⇒ 166 p.270

ANN: It was very considerate of you. ⇒ 98 p.260
You must have been awfully uncomfortable
must've
on that couch.
on 'at

JOE: No, do it all the time! ⇒ 13 p.248

ANN: Hm.

ANN: Goodbye, Mr. Bradley.

JOE: Goodbye.

【ジョーのアパート・中庭】
アンの借金

JOE: Oh. Go right through there, and down all those steps.

ANN: Thank you.

この表現に注目！

- small world!（世間は狭いね！）に関して、It's a small world! や Small world, isn't it? や What a small world! のようなバリエーションも使える。
- I almost forgot.（忘れるところでした）はよく使われる表現。almost は「もう少しで」という意味。

アン：大丈夫です、ありがたいけど。１人でも場所は分かりますから。

アン：ベッドで寝させてくださってありがとう。

ジョー：いや、いいんだ。気にしないでくれ。

アン：とても思いやりのある方ね。
長椅子は寝心地がすごく悪かったでしょう。

ジョー：いや、いつものことだ！

アン：ふーん。

アン：さようなら、ブラッドレーさん。

ジョー：さようなら。

ジョー：あっ。そこを通り抜けて、階段を下りればいい。

アン：ありがとう。

この**音変化**に注意！

sleep in ⇒ sleepin
[p]+母音で音がつながる

must have ⇒ must've
would haveなどでは、haveは[v][a]だけになりつながる

on that ⇒ on 'at
[n]+[th]で、[th]は[n]の音に変わる

● Can you lend me some money?（お金をいくらか貸してちょうだい）で、アンは「いくらか」貸して欲しいのでsomeを使っている。疑問文でsomeを使うのはまったく問題ない。「いくらでもいいから」ならanyを使う。

JOE: Well...small world! ⇒ 137 p.265

ANN: Yes- I- I almost forgot. ⇒ 36 p.251
almos' forget
Can you lend me some money? ⇒ 9 p.247
len' me

JOE: Oh, yeah...that's right, you didn't have any last night, did you? ⇒ 153 p.268
didju

ANN: Mmm.

JOE: Uh, how much...how much was it that you wanted?
thatju

ANN: Well, I don't know how much I need. ⇒ 46 p.252
How much have you got? ⇒ 33 p.250

JOE: Well, er, suppose we just split this fifty-fifty.
spli' this
Here's a thousand lira.

ANN: A thousand?! Can you really spare all that?

JOE: It's about a dollar and a half.
aboura

ANN: Oh...well, I- I'll arrange for it to be sent back to you. ⇒ 68 p.255
What is your address?

JOE: Er, Via Margutta 51.

ANN: Via Margutta 51. Joe Bradley.

この表現に注目！

● suppose we just split this fifty-fifty. は「これを半分ずつにしたらどうだろう？」。suppose は「〜してみたらどうか」で提案。Let's よりも控えめな言い方。

ジョー：世間は狭いね！

アン：ええ、忘れるところでした。
お金をいくらか貸してくださる？

ジョー：ああ、いいとも…そうだった、昨日の夜は
一文無しだったね？

アン：うん。

ジョー：で、いくら…いくら必要だったの？

アン：さあ、いくら必要か分からないの。
いくらお持ちなの？

ジョー：では、これを半分ずつしよう。
はい、1000 リラ。

アン：1000 リラも?!　本当にそんなに分けてくださるの？

ジョー：約1ドル 50 だよ。

アン：あの…後で送り返すように手配しますので。
ご住所は？

ジョー：マルグッタ通り 51。

アン：マルグッタ通り 51。ジョー・ブラッドレーさ

この音変化に注意！

almost forget ⇒ almos' forget
[t]+[f] で、前の [t] が抜け落ちる

lend me ⇒ len' me
[d]+[m] で、前の [d] が抜け落ちる

did you ⇒ didju
[d]+[j] は [dʒ] に変わる

that you ⇒ thatju
[t]+[j] は [tʃ] に変わる

split this ⇒ spli' this
[t]+[ð] で、前の [t] が抜け落ちる

about a ⇒ aboura
母音 +[t] ＋母音で、[t] は「ラ」のような音に変わる

● spare は、ここでは「与える」。Could you spare me a few minutes? と言えば、「少し時間をいただけますか？」。

JOE: Yeah.

ANN: Goodbye, thank you.

GIO: Ah, double my money, eh? You tell me why double my money...that way?

JOE: Tomorrow, tomorrow, tomorrow.

GIO: Eh, tomorrow. Eh.

【横町・市場】
アン王女の青空市場めぐり

ANN: Ah!

FRT: *Lo vuole un cocomero, signore? Molto saporito.*

SHO: *Le vuole provare? Si? Venga, s'accomodi.*

FRT: *Patti chiari, lo prenda pure, molto buono, a trecento lire sole.*

SHO: *Ha visito como le stanno bene? Proprio perfette, avevo raginone io, eh?*

JOE: No...

FRT: *Trecento lire sole.*

この表現に注目！

- Ah、double my money... と大家が叫んでいるのは、ジョーがアンにお金を渡すのを見て、アンのことをいかがわしい女と勘違いしているから。
- Goodbye は、長い別れやもう会わない場合に使う。それでは特ダネにならないので、ジョーはアンのあとをつける。

んね。

ジョー：そうだ。

アン：さようなら、ありがとう。

大家：ふん、俺の金が2倍になる？　どうやって俺の金を2倍にするんだよ？　そうやるのか？

ジョー：明日、明日、明日。

大家：ああ、明日ね。

アン：あっ！

果物売り：*スイカはいかが？　とってもおいしいよ。*

靴売り：*履いてごらん？　さあ こちらに。*

果物売り：*ごまかしたりしないよ、持ってみて、とってもおいしくてたった300リラ。*

靴売り：*とてもよくお似合い。ピッタリです。この目に狂いなし。*

ジョー：いや…

果物売り：*たったの300リラ。*

- Ehは「えっ」「何だって」など、軽い驚きや疑いを表す（イギリス英語）。
- *Molto saporito*はVery tasty（とてもおいしい）、*molto buono*はVery good（とてもいい）という意味。*molto*は英語のvery muchのこと。

JOE: **No. *Va be'.***

FRT: ***Grazie.***

この表現に注目！

● *trecento lire sole.*（⇒ P132）は three hundred lire only.（たったの 300 リラ）という意味。

ジョー：いや。まあ、いいか。

果物売り：ありがとう。

● *Va be'.* は *Va bene.* の略。英語の直訳では (It) Goes well. で、ここでは Good. や Okay. の意味。

Chapter 17

【横町・美容室】

アンの大胆ショートカット

MAR: What a wonderful er, hair you have!
Messa in piega?

ANN: Just cut, thank you.

MAR: Just cut? Well - then, cut, er, so?

ANN: Higher.

MAR: Higher? Here?

ANN: More.

MAR: Here?

ANN: Even more.

MAR: Where?

ANN: There.

MAR: There. Are you sure, Miss? ⇒ 6 p.247

ANN: I'm quite sure, thank you. ⇒ 84 p.258
qui' sure

MAR: All off?

ANN: All off.

この表現に注目！

● *Messa in piega?* は英語の直訳では Put a (permanent) wave? で、「ウェーブをかけますか？」と美容師はたずねている。

美容師：美しい髪をお持ちですね！
ウェーブをかけますか？

アン：カットだけで、どうも。

美容師：カットだけ？　では、これぐらいですか？

アン：もっと上で。

美容師：もっと上？　これぐらい？

アン：もっと。

美容師：ここ？

アン：もっとよ。

美容師：どの辺り？

アン：この辺り。そこで。

美容師：本気なの？

アン：いたって本気よ、どうも。

美容師：これ全部？

アン：これ全部。

この音変化に注意！

quite sure ⇒ qui' sure
[t]+[s] で、前の [t] が**抜け落ちる**

- **Are you sure, Miss? と美容師がアンにたずねているが、これは相手の意向を確認するのによく使われる。Are you sure you don't want a drink?（本当にお酒要らないの？）のように。答え方はアンの I'm quite sure. の他に (I'm) Positive. など。**

MAR: Off! Are you sure?

ANN: Yes!

MAR: Yes. Off! Off! Off!

【バー・電話】
電話使用中

MAN: *Vostra moglie...non c'entra affatto!*
Assolutamente...e che...!

JOE: *Ragazzi!*

MAN: Oh no, no, no, no...!

【理髪店】
ヘアカット中

MAR: Off! Ah.

【トレビの泉】
ジョーのカメラ探し

JOE: That's a nice-looking camera you have there.
nice-lookin'
⇒ 151 p.267
Ah, it's nice.
Mmmm. Er, you don't mind if I just borrow it, do you?
mindifi
⇒ 214 p.277

この表現に注目！

- *Vostra moglie* は Your wife で、*non c'entra affatto* は英語の直訳では Your wife is not in at all. となる。*Assolutamente...e che...!* は「絶対に…とんでもない！」という意味。
- Ragazzi! は「子どもたち！」という呼びかけ。Boys and girls! ということ。

美容師：カット！　本当にいいの？

アン：ええ！

美容師：それでは。カット！　カット！　カットだ！

男：*あんたの奥さんとは関係ないことだ！*
絶対に違うよ 違う！

ジョー：*君たち！*

男：いや、違う、違う、違う…！

この**音変化**に注意！

nice-looking
⇒ nice-lookin'
-ing は弱くなって -in' となる

mind if I ⇒ mindifi
[d]+母音で音がつながる
[f]+母音で音がつながる

美容師：カット！　どうだ。

ジョー：おや、いいカメラを持ってるね。
うん、いいねえ。
ちょっと借りてもいいよね？

- nice-looking の looking は、ほとんど聞こえない。
- このシーンの「トレビの泉」の由来は、伝説で Trivia という名の乙女が兵士たちに泉のありかを教えたため。Trivia は Tri（3つ）の via（道）のこと。泉の前から 3 本の道がのびているからという説ともあわさっている。

GAL: Miss Weber!

JOE: I'll give it back. ⇒ 73 p.256
givʼit
Just for a couple of minutes.
coupla

GAL: No! Go, it's my camera.

【理髪店】
カット終了とダンスへの誘い

MAR: You musician, maybe? You artist? Aha? Painter...? I know, you *modella!* Model, huh?

ANN: Thank you.

MAR: *Ecco qua finito!* It's perfect!

ANN: Oh.

MAR: Y-y-you'll be nice without long hair.
Now, it's cool, hmm? Cool?

ANN: Yes, it's, it's just what I wanted. ⇒ 103 p.260
jus' what wante'

MAR: *Grazie*. Now, why you not come dancing tonight with me? You should see - it's so nice - it's on a boat on the *Tevere,* Tiber - the river by *Sant' Angelo.* Moonlight, music, *romantico!*
Is very, very...very! Please, you come?

この表現に注目！

- *modella*は「女性のモデル」のことで、「男性モデル」はmodello。英語ではどちらもmodel。
- *Ecco qua finito!*は「さあこれで終わった！」という意味。英語の直訳はHere now finished!

少女1：ウェバー先生！

ジョー：返すから。ほんの2、3分だけ。

少女2：イヤ！　あっちへ行って、私のカメラよ。

美容師：あなたは音楽家かな？　芸術家？　画家？　分かった。*モデルだ！*　モデルだな？

アン：ありがとう。

美容師：*終わりました！*　完ぺきです！

アン：おお。

美容師：長い髪がなくても素敵ですよ。ね、かっこいいでしょ？　ね？

アン：そうね、まさにこうしたかったの。

美容師：*どうも*。ところで今夜、僕と一緒に踊りに行きませんか？　いい所ですよ。船の上で。*テベレ川*、テベレ川、*サンタンジェロ城*のそばの川です。月明かりと音楽で*ロマンチック！*
とても、とても！　どうか来てください。

この音変化に注意！

give it ⇒ giv'it
[v]+母音で音が**つながる**

couple of ⇒ coupla
of が入った語句では、[v] が抜け落ちて前の音と**つながる**

just want ⇒ jus' what
[t]+[w] で、前の [t] が**抜け落ちる**

wanted ⇒ wante'
単語の最後の破裂音は**消える**

●美容師は You be nice without long hair.（長い髪でなくても素敵ですよ）と言っているが、脚本では You look nice without long hair. となっている。イタリア人なので間違っているが意味は通じる。また、彼の英語は全体的にカタコト。

ANN: I wish I could. ⇒ 63 p.255

MAR: Oh. But, but, your friend I not think they recog... nize you.

ANN: No, I don't think they will!
don' think

MAR: Oh, thank you very much.

ANN: Thank you.

MAR: Ah, *er, senorina.* After nine o'clock, I'll be there.
⇒ 70 p.256
Dancing on river. Remember *Sant' Angelo.*
All my friends...if you come, you will be most pretty of all girl!

ANN: Thank you. Goodbye.

MAR: Goodbye.

【スペイン広場】
アン王女とアイスクリームと花

ICE: *Aranciate? Gazzose? Chinotto? Gelato?*

ANN: Er, *gelato?*

ICE: *Gelato.*

ANN: Thank you.

この表現に注目！

● I wish I could. の wish は「できそうにないことを願う」。一方、hope は「できそうなことを望む」。I wish you were here. は「あなたがここにいたらいいのに」で、I hope you'll be here. は「あなたにここに来てほしい」。

アン：行けたらいいのですが。

美容師：そう。でも、お友だちはあなたと気づきませんよ。

アン：そうね、気づかないわね！

美容師：おお、どうもありがとう。

アン：ありがとう。

美容師：ああ、どうもありがとうございます。あの…9時過ぎに行ってます。川の上のダンスに。サンタンジェロを覚えておいて。
私の友だちの中で…、あなたが来たら女の中であなたが一番の美人です！

この音変化に注意！

don't think ⇒ don' think
[n]+[t] で [t] が抜け落ちてつながる

アン：ありがとう。さようなら。

美容師：さよなら。

店員：*ジュース、サイダー、キノット、アイスクリームはいかが？*

アン：*アイスクリームを。*

店員：*アイスクリーム。*

アン：ありがとう。

● I don't think they will! は、I don't think they will recognize me! のこと。否定の場合は、think を否定するが一般的。I think they will not recognize me! とはしない。
● all girl は all girls が正しい。

ICE: *Grazie. Signorina...il resto.*

ANN: Oh, *grazie.*

PRT: *Mi dia un gelato di cioccolata e crema, per favore.*

FLR: *Ooooohh, brava signorina, guardi, qui ci sono dei fiori per lei. Garofani, sono vennuti da Bordighera, freschi,guardi, che bellezza! Grazie.*

ANN: Thank you.

FLR: *Mille lire. Ein Tausend Lire.*

ANN: Oh...no money.

FLR: No?

ANN: No.

FLR: *Ottocento lire, va bene?*

ANN: I...I'm sorry, I have really no money.
I've

FLR: *E troppo pure questo? Settecento di piu non eh, non posso fare.*

ANN: Look.
I'm sorry.

FLR: *Ecco, prego. Ah, buona fortuna!*

この表現に注目！

● *Grazie.* は Thank you. のこと。*Signorina* は「お嬢さま」で、未婚女性への敬称。*il resto* は「お釣り」で、英語の the change のこと。

● *Mille lire.* は「1000 リラ」。*Ein Tausend Lire.* はドイツ語で A thousand lire のこと。

店員：*ありがとう。お嬢さん…お釣り。*

アン：あら、ありがとう。

神父：*チョコレート味とクリーム味のアイスクリームを1つください。*

花屋：*いらっしゃい、お嬢さんほら、あなたにお似合いの花ですよ。カーネーションです。ボルディゲーラから届いたばかり、摘みたてです、ごらんなさい、きれいでしょう！　どうも。*

アン：ありがとう。

花屋：*1000 リラです。1000 リラ。*

アン：お金がないの。

花屋：ない？

アン：ええ。

花屋：*800 リラでどう？*

アン：ごめんなさい、本当にお金がないの。

花屋：*まだ高すぎると言うの？　じゃ 700 だ。これ以上はムリ。*

アン：見て。
ごめんなさい。

花屋：*どうぞ。幸運を！*

この**音変化**に注意！

I have ⇒ I've
主語 +have 動詞は短くなる

● *Ottocento lire, va bene?* は「800 リラでどう？」と値下げをしている。*Otto* は Eight、cento は hundred のこと。
● *va bene?* は直訳では goes well? で、ここでは okay? や all right? の意味。

ANN: ***Grazie!***

FLR: ***Niente.***

ANN: ***Grazie.***

この表現に注目！

● *buona fortuna!*（⇒ P144）は good luck! のこと。ここでは「幸運を祈る！」の意味。普通に、Good luck. と言えば、「がんばって」。

アン：ありがとう。

花屋：いいえ。

アン：ありがとう。

● *Niente.* は直訳では Nothing. のこと。Not at all.（どういたしまして）といった意味。

Chapter 18

【スペイン広場の階段】

アン王女の告白と休日の始まり

JOE: Weeell, it's you! ⇒ 173 p.271

ANN: Yes, Mr. Bradley!

JOE: Or is it?

ANN: Do you like it?
Dju

JOE: Yeah...very much.
So that was your mysterious appointment.
wazjur

ANN: Mr. Bradley, I have a confession to make. ⇒ 53 p.253

JOE: Confession?

ANN: Yes, I...ran away last night - from school.
ranaway

JOE: Oh, what was the matter? ⇒ 192 p.273
Trouble with the teacher?
wi' the

ANN: No, nothing like that. ⇒ 126 p.264

JOE: Well, you don't just run away from school for nothing. ⇒ 212 p.276

ANN: Well, I only meant it to be for an hour or two.
meanti' to
They gave me something last night to make me
some'm

この表現に注目！

● Well, it's you!（おや、君か！）と言った後の Or is it? は、Or is it really you?（本当に君なのか？）の略。ジョーがアンのイメージチェンジを認めたうえで遊び心を表現したもの。アンが嬉しそうに Do you like it? と返事する。

ジョー：おや、君か！

アン：そうよ、ブラッドレーさん！

ジョー：でも、違うかな？

アン：お気に召した？

ジョー：とってもね。
これが秘密の約束だったのか。

アン：ブラッドレーさん、告白することがあるの。

ジョー：告白？

アン：ええ、昨晩、逃げ出してきたの、学校から。

ジョー：何かあったの？
先生とトラブルでも？

アン：いいえ、そういうことじゃないの。

ジョー：でも、何もないのにただ学校から逃げ出さないだろ。

アン：まあ、ほんの1、2時間のつもりだったの。
昨晩、何か眠くなるものを与えられたので。

この音変化に注意！

Do you ⇒ Dju
[d]+[j] は [ʤ] に変わる

was your ⇒ wazjur
[n]+[j] は [ʒ] に変わる

ran away ⇒ ranaway
[n]+ 母音で音がつながる

with the ⇒ wi' the
同じ音が続けば、前の音が抜け落ちる

meant it to ⇒ meanti' to
同じ音が続けば、前の音が抜け落ちる

something ⇒ some'm
something は somethin' または some'm と音が弱くなる

- ジョーの what was の was は、ほとんど聞こえない。
- Well, you don't just run away from school for nothing. でジョーは一般論にして、「人は訳もなく学校から逃げ出したりはしないよ」と直接アンを責めるのを避けている。people より you のほうが、温かい感じの言い方になる。

sleep.

JOE: Oh, I see.

ANN: Now I'd better get a taxi and go back. ⇒ 64 p.255
I better

JOE: Well, look, before you do, why don't you take a little time for yourself? ⇒ 199 p.274
don' tju
lidle

ANN: Maybe another hour. ⇒ 122 p.263
another'our

JOE: Live dangerously, take the whole day!

ANN: I could do some of the things I've always wanted to.

JOE: Like what? ⇒ 115 p.262

ANN: Oh, you can't imagine... I'd, I'd like to do just whatever I'd like, the whole day long!

JOE: You mean, things like having your hair cut? Eating *gelati*?

ANN: Yes, and I'd, I'd like to sit at a sidewalk cafe and look in shop windows, walk in the rain! ⇒ 66 p.255
sitata
Have fun, and maybe some excitement.
It doesn't seem much to you, does it?

JOE: It's great! Tell you what. ⇒ 147 p.267
Why don't we do all those things - together?

この表現に注目！

● Live dangerously, は、直訳すると「危険な生き方をしなさい」。ジョーはアンに「思いきったことをしたら」と提案している。

ジョー：なるほど。

アン：もうタクシーに乗って帰らなければ。

ジョー：あの、その前に、自分のために少し時間を取ったら？

アン：あと1時間くらいなら。

ジョー：思いきって、まる1日にしたら！

アン：これまでずっとしたかったことができるわ。

ジョー：例えば？

アン：あなたには想像もつかないわ…したいこと何でもしたい、1日中！

ジョー：髪を切ったり、*アイスクリーム*を食べたり？

アン：そう、カフェテラスに座ったり、ショーウィンドーを眺めたり、雨の中を歩くの！
楽しくて、ワクワクすること。
あなたには、大したことじゃないわね。

ジョー：素晴らしいさ！　こうしよう。
それを全部やろうよ、一緒に。

この音変化に注意！

I'd better ⇒ I better
[d]+[b]で、[d]が抜け落ちる

don't you ⇒ don'tju
[t]+[j]は[tʃ]に変わる

little ⇒ lidle
母音+[t]+母音で、[t]は[d]に変わる

another hour ⇒ another'our
[r]+母音で音がつながる

sit at a ⇒ sitata
[t]+母音で音がつながる

- I could doは「自分がその気になればできる」というニュアンス。
- It doesn't seem muchは「大したことには見えない」「重要なことには見えない」。

ANN: But don't you have to work? ⇒ 18 p.248
hafto

JOE: Work? No! Today's going to be a holiday. ⇒ 170 p.270
gonna bi

ANN: But you don't want to do a lot of silly things.
don' want

JOE: Don't I? First wish - one sidewalk cafe - coming right up! - I know just the place - Rocca's. ⇒ 56 p.254

この表現に注目！

- Don't I? は Don't I want to do a lot of silly things? の略で、「バカげたことをたくさんするのはイヤじゃないよ」という意味。
- coming right up! は「ただいまお持ちします！」で、ウェイターなどが注文を受けたときの定番の返事。カフェテラスにかけた表現。

アン：でもお仕事はないの？

ジョー：仕事？　いや！　今日は休みにするよ。

アン：でも、バカげたことをたくさんしなくても。

ジョー：そうかな？　最初のお望みカフェテラス。はい、ただいま！　いい店を知ってる、ロッカズだ。

この**音変化**に注意！

have to ⇒ hafto
有声音が、無声音の影響で無声音に変わる

going to ⇒ gonna
going to は gonna に変わる

be ⇒ bi
be は弱くなって bi となる

don't want ⇒ don' want
[t]+[w] で、前の [t] が抜け落ちる

●カフェの正式名 G.Rocca は有名な Cafe Greco（カフェ・グレコ）のもじり。Greco は Greek（ギリシャの）。実際にそこで撮影された。*La Piazza di Spagna* は「スペイン広場」で、英語では The Spanish Steps と言う。

Chapter 19

【ロッカズ・カフェ】

互いの詮索と相棒カメラマン

JOE: What will the people at school say when they see your new haircut?

ANN: They'll have a (hav' a) fit. What would they say if they knew I'd spent (I' spent) the night in your room?

JOE: Well, er, I'll tell you what, you don't tell your folks and I won't tell mine.

ANN: It's a pact.

JOE: Now, what would you (wouldju) like to drink? ⇒ 189 p.273

ANN: Champagne, please.

JOE: *Er, commerierie, er...*

WAT: *Comandi, signore.*

JOE: Champagne?

WAT: *Si, si.*

JOE: Well, er, champagne *per la senorina* and er, cold coffee for me.

この表現に注目！

● you don't tell your folks and I won't tell mine. で「互いに周りの人に言うのはやめよう」とジョーが言うとアンは It's a pact.（約束ね）と答える。２人だけの秘密を持つことで親密さが増してきている。

ジョー：学校の人たちが、その新しい髪型を見たら何て言うかな？

アン：ひきつけを起こすでしょうね。あなたの部屋で私が一晩過ごしたことを知ったら何て言うかしら？

ジョー：あの、こうしよう。周りの人には言わないで、僕も周りの人に言わないから。

アン：約束ね。

ジョー：さて、お飲み物は何を？

アン：シャンパンをお願い。

ジョー：*あの、ウェイター…*

給仕：*ご注文は？*

ジョー：*シャンパンある？*

給仕：*ございます。*

ジョー：じゃ、*お嬢さんに*シャンパンを、僕はアイスコーヒー。

この音変化に注意！

have a ⇒ hav'a
[v]+母音で音がつながる

I'd spent ⇒ I' spent
[d]+[s]で、前の[d]が抜け落ちる

would you ⇒ wouldju
[d]+[j]は[dʒ]に変わる

● folksは、「家族」のことだが、ここではそれも含めた「周りの人たち」。
● What would you like to drink?（何をお飲みになりますか？）はとてもていねい。(Would you) care for something to drink? も同じように使える。答え方もていねいに、アンのChampagne, please. またはI'd like some Champagne. と言う。

WAT: *Va bene, signore.*

JOE: Must be quite a life you have in that school - champagne for lunch.
in 'at

ANN: Only on special occasions.

JOE: For instance?
Forinstance

ANN: The last was my father's anniversary.

JOE: Wedding?

ANN: No, it was...the fortieth anniversary of umm...of the day he got his job.

JOE: Forty years on the job. What do you know about that! ⇒ 181 p.272
Whadya
What does he do?
does 'e

ANN: Well...mostly you might call it...public relations.

JOE: Oh, well, that's hard work.

ANN: Yes, I wouldn't care for it.

JOE: Does he?

ANN: I've...heard him complain about it.

JOE: Why doesn't he quit?
doesn'e

ANN: Well, people in that line of work almost never do
in 'at

この表現に注目！

● public relations（広報活動）とアンは言って、父親の職業をあいまいにごまかしている。これも自分の正体を知られたくないため。

給仕：*かしこまりました。*

ジョー：学校での生活はきっとかなりのものだね、昼食にシャンパンとは。

アン：特別なときだけよ。

ジョー：例えば？

アン：前回は父の記念日。

ジョー：結婚の？

アン：いいえ、父の…40周年記念よ、仕事に就いた日から。

ジョー：仕事に就いて40年か。驚いたな！仕事は何を？

アン：あの、世間で言う広報活動が主。

ジョー：それは大変な仕事だね。

アン：私は好きになれない。

ジョー：お父さんも？

アン：小言を言っているのを聞いたわ。

ジョー：なぜ辞めないの？

アン：その種の仕事の人は決して辞めることはな

この音変化に注意！

in that ⇒ in 'at
[n]+[th]で、[th]は[n]の音に変わる

For instance ⇒ Forinstance
[r]+母音で音がつながる

What do you ⇒ Whadya
What do youでは、[t]が「ラ」に変わるか抜け落ちる

does he ⇒ does 'e
heは弱くなり[h]が落ちる

doesn't he ⇒ doesn'e
[n]+[t]で[t]が抜け落ちてつながる

in that ⇒ in 'at
[n]+[th]で、[th]は[n]の音に変わる

● I wouldn'tは仮定法で、「私だったら～しないだろう」。
● care forは、ここでは「～を好む」。

quit - unless it's actually unhealthy for them to continue.
f'r

JOE: Uh-huh. Well, here's to his health, then. ⇒ 28 p.250

ANN: You know, that's what everybody says.

JOE: It's all right?

ANN: Yes, thank you. What is your work?

JOE: Oh, I'm...er, in the selling game.

ANN: Really? How interesting.

JOE: Uh-huh.

ANN: What do you sell?

JOE: Er, fertilizer, er, chemicals, you know? Chemicals - stuff like that.

ANN: Hum.

JOE: Un-huuh.
Irving! Well, am I glad to see you! ⇒ 2 p.246
gla' to

IRV: Why - did you forget your wallet?
dju forgetjur

JOE: Er, pull up a chair, Irving, sit down with us here.
pullupa

IRV: Aren't you going to introduce me?
Aren' tju gonna

JOE: Er, yes, this is a very good friend of mine, Irving

この表現に注目！

●ジョーが here's to his health.（お父さんの健康を祝して）と言ったのに、アンが that's what everybody says.（皆さん、そうおっしゃるのよ）と答えたのは、父が国王陛下だから。

いの。健康を害して仕事が続けられない限り。

ジョー：では、お父さんの健康を祝して。

アン：皆さん、そうおっしゃるのよ。

ジョー：おいしい？

アン：ええ、ありがとう。お仕事は何を？

ジョー：物を売る商売さ。

アン：そう？　面白そうね。

ジョー：まあね。

アン：何を売ってるの？

ジョー：えー、肥料、その化学薬品だよ。化学薬品とか、そういったもの。

アン：そう。

ジョー：まあね。
アービング！　会えてよかったよ！

アービング：何で、財布でも忘れたか？

ジョー：まあ、椅子を引き寄せて、一緒に座れよ。

アービング：紹介してくれないの？

ジョー：あ…うん、こちらは親友のアービング・ラ

この音変化に注意！

for ⇒ f'r
for は [f] と弱くなる

glad to ⇒ gla' to
似た音が続くと、前の音が抜け落ちる

did you ⇒ dju
[d] だけになり [j] とともに [dʒ] に変わる

forget your ⇒ forgetjur
[t]+[j] は [tʃ] に変わる

pull up a ⇒ pullupa
[l]+ 母音で音がつながる

Aren't you ⇒ Aren' tju
[t]+[j] は [tʃ] に変わる

going to ⇒ gonna
going to は gonna に変わる

● Well, am I glad to see you! と主語と動詞を入れ換えて、ジョーはアービングが来た嬉しさをモロに表現している。特ダネの写真を撮ってもらいたいためとお金がないため。

Radovich. Anya, Irving.

IRV: Anya...?

ANN: Smith.

IRV: Oh, hiya Smitty.

ANN: Charmed.

IRV: Hey, er, anybody ever tell you you're a dead ringer (dea' ringer) for...Oh! Well er, I guess I'll be going.

JOE: Oh, don't do a thing like that, Irving.

IRV: Joe, I'm kind of...

JOE: Sit down, join us, join us (joinus). Join us!

IRV: Well er, just till Francesca gets here.

ANN: Tell me, Mr. er, er, Radovich, er, what is a ringer?

IRV: Oh, eh, waiter! Whiskey, please.

JOE: It's an American (anAmercan) term and er, and it means er, anyone who has a great deal of charm.

ANN: Oh. Thank you.

IRV: You're welcome. ⇒ 229 p.279

この表現に注目！

● hiya Smitty.（よろしく、スミスちゃん）とアービングは、かなり気さくな表現を使ったのに対してアンは、Charmed.（光栄ですわ）。こうした言葉遣いをするアンを不思議に思っている。

● ringerは俗語で「そっくりさん」「ウリふたつ」。アンが知らない言葉なので本書では「クリソツ」と訳した。deadは強調。

ドビッチ。こちらはアーニャ、アービング。

アービング：アーニャ…？

アン：スミスよ。

アービング：よろしく、スミスちゃん。

アン：光栄ですわ。

アービング：ねぇ、今まで"クリソツ"って言われたことは…、あー！　えっと、もう行ったほうがいいかな。

ジョー：いや、そんなことはするなよ、アービング。

アービング：ジョー、ちょっと…

ジョー：座れよ、一緒に。一緒に！

アービング：それじゃ、フランチェスカが来るまで。

アン：教えて、ラドビッチさん、"クリソツ"って何？

アービング：あの、ウェイター！　ウィスキーを。

ジョー：アメリカの言い回しで、つまり、とても魅力的な人を指すんだ。

アン：まあ、ありがとう。

アービング：どういたしまして。

この**音変化**に注意！

hiya
How are you? が短くなったもので、「やぁ」とくだけた感じ

dead ringer ⇒ dea' ringer
[d]+[r] で、前の [d] が抜け落ちる

join us ⇒ joinus
[n]+ 母音で音がつながる

an American ⇒ anAmercan
[n]+ 母音で音がつながる

●イギリス英語とアメリカ英語では語彙が異なる。そのためアンは、教えられたとおり ringer は「魅力的な人」のことと思っている。船上ダンスのシーンでジョーに I think you're a ringer. と言うのはそのため （⇒ P198）。

GIRL A: *Ciao,* Irving.

GIRL B: *Ciao.*

IRV: Oh, *ciao...*

ANN: Er, Miss...

IRV: Cousins.

ANN: M...Mr. Bradley's just been telling me all about his work.

IRV: Mmm, I'd like to have heard that.
to 've

ANN: What do you do?

IRV: I'm in the same racket as Joe.
Only I'm a photo...
I'ma

ANN: Ah...oh!

JOE: I'm awfully sorry, Irving!

IRV: W-w-wha-? What are you-?

JOE: I'm sorry, Irving.

IRV: Look, I can take a hint! ⇒ 38 p.251
tak'a
I'll see you around.

ANN: Oh, your drink's just here; please sit down...

この表現に注目！

● I'd like to have heard that. は、「お伺いしたかった」で過去のこと。現在のことなら I'd like to hear that. と言う。

女性Ａ：こんにちは、アービング。

女性Ｂ：こんにちは。

アービング：おお、こんにちは…

アン：あの…

アービング：いとこだ。

アン：ブラッドレーさんがいろいろとお仕事の話をしてくださっていたの。

アービング：お伺いしたかったな。

アン：あなたはどんなお仕事を？

アービング：ジョーと同じ職業だが。
ただ俺は写真…

アン：まあ！

ジョー：本当に悪かったよ、アービング！

アービング：何？　何だって…？

ジョー：すまない、アービング。

アービング：おい、そこまでしなくても分かるよ！
また会いましょう。

アン：あら、あなたの飲み物が来たわ、お座りになって…

この音変化に注意！

to have ⇒ to 've
to have などでは、have は [v] や [a] と弱くなる

I'm a ⇒ I'ma
[m]+ 母音で音がつながる

take a ⇒ tak'a
[k]+ 母音で音がつながる

● Look, I can take a hint! の take a hint は、周りの状況を見て「それと感づく」「気が利く」という意味だが、ここでは「そこまでしなくても分かるよ！」というニュアンス。

JOE: Yes, here's your drink right now, Irving. ⇒ 29 p.250
righ' now
Take it easy. ⇒ 145 p.267
Tak'iteasy
I'm sorry about that. Sit down, that's a good fellow.
Have a...that's a boy.
that's a

IRV: You're t- You're twisting my arm, you know.

JOE: Just - just be a little more careful not to spill...

IRV: Spill? Who's been doing the spilling?
doin'

JOE: You.

IRV: Me?

JOE: Yeah.

IRV: Where did you find this looney?
didju
You're okay. Here's to you, huh?
Here's hoping for the best.
hopin'
If it...if it wasn't for that hair, I- I- I'd swear that...

MNK1: *S'e fatto male?*

MNK2: *Ha bisogno aiuto?*

IRV: Thanks.

この表現に注目！

- You're twisting my arm は「俺の腕をねじり上げている」⇒「俺に無理強いしている」。
- spill には「（液体などを）こぼす」と「（秘密などを）もらす」の2つの意味があり、ジョーは2つをかけてアービングに注意している。しかし、アービングには伝わらない。

ジョー：そう、君の飲み物だよ、アービング。
落ち着け。僕が悪かったよ。座ってくれ。いいヤツだ。
座って…それでこそ男だ。

アービング：お前が、お前がそこまで無理強いするなら。

ジョー：ただ、もうちょっと気をつけて、こぼさないように。

アービング：こぼす？　誰がこぼしているんだよ？

ジョー：君だよ。

アービング：俺だって？

ジョー：ああ。

アービング：どこで見つけたの、このバカを。君はいいよ。君に乾杯だ。いいことがありますように。もし、その髪型でなかったら、お、お、俺は誓って言うが…

修道士1：*大丈夫？*

修道士2：*手を貸しましょうか？*

アービング：どうも

この音変化に注意！

right now ⇒ righ' now
[t]+[n]で、前の[t]が抜け落ちる

Take it easy ⇒ Tak'iteasy
[k]+母音で音がつながる

that's a ⇒ that's a
[t]+母音で音がつながる

doing ⇒ doin'
-ingは弱くなって-in'に変わる

did you ⇒ didju
[d]+[j]は[dʒ]に変わる

hoping ⇒ hopin'
-ingは弱くなって-in'に変わる

- looneyは「狂人」「変人」「頭がいかれたヤツ」「非常識なヤツ」。アービングは、アンが本物の王女とは知らないので、ジョーに対して頭にきている。
- if it wasn't for that hairは「もし、その髪を除いたら」。if it wasn't forはif it weren't forとも言い、「もし～がなかったら」の意味。

ANN: Oh! Have you hurt yourself? Oh...
hurtjurself

JOE: You slipped, Irving.

IRV: Slipped?

JOE: You slipped. You almost hurt yourself that time!

IRV: I slipped?!

JOE: Yes.

IRV: I almost hurt myself?

JOE: You did hurt yourself...behind the ear, I think.
You've got a bad sprain there...
gora

IRV: Joe, I didn't slip!
Never mind I got a bad sprain, Joe. ⇒ 125 p.264
gora

JOE: We'd better go in here and get it fixed up, pal.
We' better

IRV: Well, yeah, I'd like to...

JOE: Will you excuse us for a minute, Anya? ⇒ 201 p.275
fora

ANN: Yes, of course. I- I'm so sorry.

IRV: If I slipped, I slipped...

この表現に注目！

●ジョーは、この場面でもYou slipped.（滑ったな）やYou did hurt yourself（ケガしたな）などと言って２重の意味を含ませている。slipには「滑る」と「口をすべらす」の意味があるし、hurtにも「傷つく」と「困る」の意味がある。

●ジョーのWill you excuse usはWill youがほとんど聞こえない。

アン：あ、おケガはありません？

ジョー：滑ったな、アービング。

アービング：滑った？

ジョー：滑ったよ。今度はケガするところだったよ！

アービング：俺が滑った ?!

ジョー：そうだ。

アービング：もう少しでケガするところ？

ジョー：ケガしたんだよ…耳の後ろじゃないか。捻挫しているよ…

アービング：ジョー、俺は滑ってない！
捻挫なんかどうでもいいよ、ジョー。

ジョー：この中に入って、手当したほうがいいよ。

アービング：ああ、俺も…

ジョー：僕たち、ちょっと失礼します、アーニャ。

アン：ええ、もちろん。お気の毒に。

アービング：もし俺が滑ったのなら、滑ったのかな…

この音変化に注意！

hurt yourself ⇒ hurtjurself
[t]+[j] で [tʃ] に変わる

got a ⇒ gora
母音 +[t] ＋母音で、[t] は「ラ」のような音に変わる

We'd better ⇒ We' better
[d]+[b] で、前の [d] が抜け落ちる

for a ⇒ fora
[r]+ 母音で音がつながる

● If I slipped, I slipped... は「滑ったのなら、滑ったのかな…」。ジョーはアービングにアン王女のことはしゃべるなと暗に伝えているのだがいっこうにピンとこない。
●このシーンは、ジョーとアービングのセリフが重なっており、かなり聞き取りづらい。

G. ROCCA

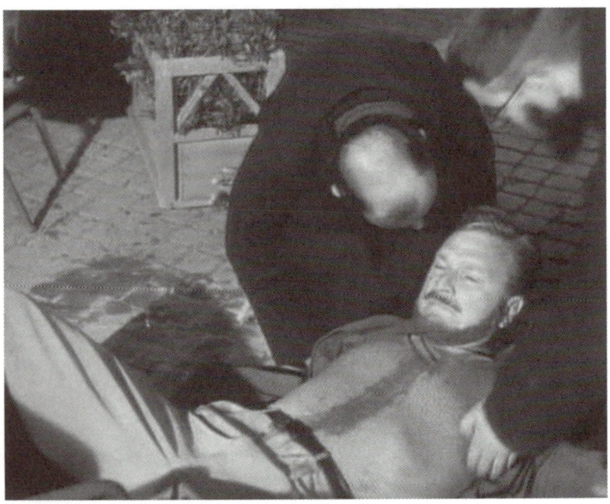

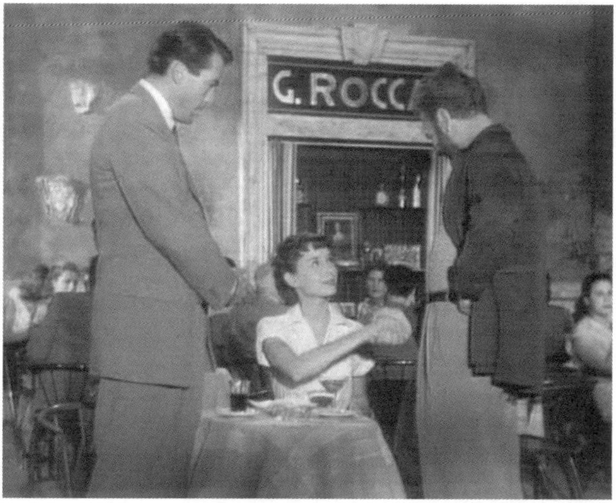
G.ROCCA

BA
G.ROCCA

Chapter 20

【ロッカズ・カフェの中】

ジョーとアービングの密約

IRV: Now wait, now wait, just a minute, let...look, Joe, what are you trying to do? ⇒ 178 p.271
trynna
Now take your hands off!

JOE: Have you got your lighter? ⇒ 25 p.249
gotjur

IRV: What's that got to do with it? ⇒ 190 p.273

JOE: Have you got it?

IRV: Yeah, but what are you trying to do to me?
tryin' na

JOE: Listen, what would you do for five grand?
⇒ 188 p.273

IRV: Five grand?

JOE: Yeah. Now, look, she doesn't know who I am or what I do. Look, Irving, this is my story.
I dug it up, I got to protect it!
dugidup gotta

IRV: She's really the...?

JOE: Ssssh! Your tintypes are going to make this little epic twice as valuable.
gonna

この表現に注目！

● What's that got to do with it?（それとこれと何の関係があるんだ？）はよく使われる表現。have to do with は口語では have got to do with となる。I've got nothing to do with it.（私はそれと何の関係もない）なども使える。

アービング：ほら待て、待てよ、ちょっと、いいか、ジョー、何をするつもりだ？
おい、手を放せよ！

ジョー：ライター持ってるか？

アービング：それが何の関係がある？

ジョー：持ってるのか？

アービング：ああ、でも俺に何をするつもりだ？

ジョー：よく聞け、5000ドルあればどうする？

アービング：5000ドル？

ジョー：そうだ、いいか、彼女は僕が誰なのか、そして何をしているか知らない。いいか、これは僕のネタだ。掘り当てたから、守らないと！

アービング：彼女は本物の…？

ジョー：シー！　君の写真があれば、この特ダネの価値は2倍になる。

この音変化に注意！

trying to ⇒ trynna
trying to は trynna に変わる

got your ⇒ gotjur
[t]+[j] は [tʃ] に変わる

trying to ⇒ tryin' na
-ing は弱くなって -in' に変わる

dug it up ⇒ dugidup
母音 +[t] +母音で、[t] は [d] に変わる

got to ⇒ gotta
got to は早口で gotta のように変わる

going to ⇒ gonna
going to は gonna に変わる

● tintypes は「鉄板写真」のことで、小さな鉄板を使ってポジ（陽画）を作る。最初は tin（スズ）を使った。

IRV: “The Princess Goes Slumming.”

JOE: You’re in for twenty-five percent of the take.
twen'y-five

IRV: And the take’s five ‘G’?

JOE: Minimum. Hennessy shook hands on it.

IRV: ...seven, five. That’s...that’s fifteen hundred dollars!

JOE: It’s twelve-fifty.

IRV: Okay, now you shake.

JOE: Okay, now, lend me thirty thousand.
len' me

IRV: Thirty th-? That’s fifty bucks! You going to buy the crown jewels?
buckshu gonna

JOE: She’s out there now, drinking champagne that I can’t pay for! We got to entertain her, don’t we?
We gotta en' etain

IRV: Joe, we can’t go running around town with a... hot princess!

JOE: Ssh, you want in on this deal or don’t you?
don'tju

IRV: This I want back Saturday.

この表現に注目！

● "The Princess Goes Slumming" は「王女様、スラム街を行く」という意味だが、「特に好奇心でスラム街を見物する」というニュアンス。
● five ‘G’ (grand) は 5000 ドルで、fifty bucks は 50 ドル。

アービング：“王女がスラム街へ”

ジョー：君が乗るなら取り分は 25 パーセント。

アービング：取り分は 5000 ドルか？

ジョー：最低でも。支局長が約束の握手をした。

アービング：…7、5…つまり 1500 ドルだ！

ジョー：1250 ドルだよ。

アービング：分かった、じゃ握手だ。

ジョー：それじゃ3万貸せ。

アービング：3万…50 ドルだぞ！　戴冠用宝石でも買うのか？

ジョー：彼女は外でシャンパンを飲んでるし、払えないんだ！　彼女を楽しませなきゃ、そうだろ？

アービング：ジョー、ヤバい王女を町中連れ回せないだろ。

ジョー：この話に乗るのか 乗らないのか？

アービング：土曜には返せよ。

この音変化に注意！

twenty-five ⇒ twen'y-five
[n]+[t] で、後ろの [t] が消える

lend me ⇒ len' me
[d]+[m] で、前の [d] が抜け落ちる

bucks! You ⇒ buckshu
[s]+[j] は [ʃ] に変わる

going to ⇒ gonna
going to は gonna に変わる

We got to ⇒ We gotta
got to は早口で gotta のように変わる

entertain ⇒ en' ertain
[n][t] と続くと、[t] が消える

don't you ⇒ don'tju
[t]+[j] は [tʃ] に変わる

- アービングがジョーから大金を貸せと言われて、You going to buy the crown jewels?（戴冠用宝石でも買うのか？）と皮肉る。
- a hot princess は「ヤバい王女」。hot は「話題の、物議をかもしだしている」の意味。

JOE: **Okay, now where's your lighter?**
wherezjur
Let's go to work.

この表現に注目！

● This I want back Saturday.（⇒ P172）は I want this back Saturday. の順序を入れ替えたもの。This（このお金）を強調したもの。

ジョー：分かった、ライターはどこだ？
さあ仕事だ。

この
音変化に
注意！

where's your ⇒ wherezjur
[z]+[j] は [ʒ] に変わる

● go to work は「仕事に行く」「仕事を始める」。ここでは後者の意味。

Chapter 21

【ロッカズ・カフェのテーブル】

アン王女の初めてのタバコ

ANN: Better now?

IRV: Huh?

ANN: Your ear.

IRV: My ear? Oh, yeah, er, Joe fixed it.
fixedit
Er, would you care for a cigarette? ⇒ 205 p.275

ANN: Yes, please.
You won't believe this - but it's my very first.
won' believe
⇒ 224 p.278

JOE: Your very first?

ANN: Mm-hm.

IRV: Oh...

JOE: No, er, smoking in school, hmm?

IRV: Your first cigarette...
There, gizmo works.

JOE: Well, what's the verdict, er... okay?

ANN: Nothing to it. ⇒ 127 p.264
nothin'

この表現に注目！

- アービングはアンが本物の王女と知って、急にていねいな言葉になる。Would you care for a cigarette?（タバコはいかがでしょうか？）は非常にていねいな申し出。
- gizmo は gadget（気の利いた小物）のこと。

アン：よくなりました？

アービング：何が？

アン：耳の具合。

アービング：耳？　ああ、ジョーが治してくれた。
あの、タバコはいかがでしょうか？

アン：ええ、いただくわ。
信じられないでしょうが、これが初めてよ。

ジョー：これが初めてか？

アン：ええ。

アービング：ほう…

ジョー：学校では禁煙、だろう？

アービング：初めてのタバコ…
ほら、うまく動いた。

ジョー：あの、ご感想は？　大丈夫？

アン：何てことはない。

この音変化に注意！

fixed it ⇒ fixedit
[d]+母音で音がつながる

won't believe ⇒ won' believe
[t]+[b]で、前の[b]が抜け落ちる

Nothing ⇒ Nothin'
-ingは弱くなって-in'に変わる

● Well, what's the verdict...（判決はどうでしょう…）とジョーはタバコがまずいのではと心配して聞いたのだが、アンはうまくタバコが吸えるかどうかを気にしていたためにNothing to it.（何てことはない）と返事。There's nothing to it.の略。

IRV: That's right - nothing to it.
nothin'

JOE: Er, *commerierie.*

WAT: *Comandi.*

JOE: *Conto, per favore.*

IRV: Stretch my legs a little here. ⇒ 141 p.266
legza

ANN: Hm.

JOE: I'll pick this one up, Irving. ⇒ 74 p.256
oneup

IRV: Yeah, you can afford it. ⇒ 209 p.276
canaffordit

JOE: Well, what shall we do next? ⇒ 186 p.272
Shall we, er, make out a little schedule?
mak'out

ANN: Oh, no, not that word, please!

JOE: *Va bene.* Oh, I didn't mean a work sche - school schedule - I meant, er, a fun schedule. ⇒ 43 p.252 ⇒ 57 p.254

ANN: Oh, yes, let's just go, huh?

JOE: Well, how about you, Irving? Are you ready?
how 'bout
⇒ 31 p.250 ⇒ 5 p.246

IRV: Er, yeah.

JOE: Let's go.

この表現に注目！

- *Conto, per favore.* は英語の Check, please.
- Oh, no, not that word, please! でアンが schedule という言葉が嫌いなことが分かる。公式行事などの予定がいっぱいで超多忙なため。

アービング：そう、何てことはない。

ジョー：あの、*ウェイター。*

給仕：*何でしょう。*

ジョー：*勘定を頼む。*

アービング：ここで一服だ。

アン：ええ。

ジョー：ここは僕が払うよ、アービング。

アービング：ああ、金があるからな。

ジョー：さて、次は何をしようか？
ちょっとしたスケジュールを決めようか？

アン：あの、やめて、その言葉は、お願い！

ジョー：*どうも。*仕事の、いや学校のスケジュールのことじゃない、遊びのスケジュールのことだよ。

アン：ああ、そう、じゃあ行きましょうか？

ジョー：うん、君はどうかな、アービング？　用意はいい？

アービング：いいよ。

ジョー：行こう。

この音変化に注意！

legs a ⇒ legza
[z]+母音で音がつながる

one up ⇒ oneup
[n]+母音で音がつながる

can afford it ⇒ canaffordit
[n]+母音で音がつながる

make out ⇒ mak'out
[k]+母音で音がつながる

how about ⇒ how 'bout
あいまい母音は消える

● She's a grand girl...（⇒ P180）でジョーは grand を「素敵な」と「1000 ドル」の両方にかけている。five grand を「5000 ドルの輝きだ」とすれば両方の意味が出せる。

FRN: *Ciao*, Irving, *come stai?*

IRV: Francesca. Oh, er, this is...

ANN: Smitty.

JOE: She's a grand girl, Irving, grand.
gran' girl
Er, five grand, Irving. *Ciao.*

IRV: Joe!

FRN: Where are you going now? ⇒ 195 p.274

IRV: Honey, I got to work. I'll call you tonight. ⇒ 50 p.253
gotta
⇒ 71 p.256

【空港】
秘密情報部員の到着

AMB: Look at those men! They were supposed to be
Looka' those　　suppose' to
inconspicuous. ⇒ 164 p.269

GEN: You asked for plain clothes. ⇒ 208 p.276
ask' for

【ヴェネツィア広場の通り】
スクーターの乱暴運転

JOE: Hey! *Scusi.*
Hey! Stop, come back before people get hit!

この表現に注目！

● They were supposed to be inconspicuous. は「目立たないようにすることになっていた」のに「そうしなかった」というニュアンス。be supposed to は予定や計画を伝えるときの表現で、I'm supposed to go there at one.（1時に行くことになっている）などと使える。

フランチェスカ：*こんにちは、アービング、元気？*

アービング：フランチェスカ。あの、こちらは…

アン：スミスちゃんよ。

ジョー：ステキな娘だよな、アービング、ステキだ。5000ドルの輝きだぞ、アービング。*じゃあまた。*

アービング：ジョー。

フランチェスカ：どこへ行くの？

アービング：ねえ君、仕事だ。今夜電話するよ。

この音変化に注意！

grand girl ⇒ gran' girl
[d]+[g]で、前の[d]が抜け落ちる

got to ⇒ gotta
got toは早口でgottaのように変わる

Look at those ⇒ Looka' those
[k]+母音で音がつながる
[t]+[th]で、前の[t]が抜け落ちる

supposed to ⇒ suppose' to
有声音が、無声音の影響で無声音に変わる

asked for ⇒ ask' for
[t]+[f]で、前の[t]が抜け落ちる

大使：連中を見ろ！　目立たないはずだったのに。

将軍：平服をお望みでしたから。

ジョー：おい！　*失礼。*
おい！　止まれ、人にぶつかる前に戻ってこい！

●大使は、plain clothesを「平服」「私服」の意味で言ったのだが、それを秘密情報部員たちは「地味な服」と勘違い。地味な制服で服装を統一してきたので、逆に目立った。

ANN: Whoa!

JOE: Hey, come back. You can't drive this thing.
Let me take this. Let me take over. ⇒ 111 p.262
(Lemme) (Lemme)

ANN: No, no, no. I - I can do it.

この表現に注目！

● You can't drive this thing. の this thing は「スクーター」のこと。実際の名前を言う代わりに thing を使うことが多い。

アン：わーい!

ジョー：おい、戻れ。君は運転できないよ。
僕がやるよ。僕に代われ。

アン：いや、いや。私できるわ。

この**音変化**に注意!

Let me ⇒ Lemme
Let me は Lemme に変わる

● Let me take this. の take this は「ハンドルをつかむ」と「運転を引き受ける」の両方の意味にとれる。

Chapter 22

【警察署】

ジョーたちの必死の説得

JOE: Ah. Uh.

IRV: Oh...I'm going straight from now on.
goin'

ANN: "American News Service?" What did he mean?

JOE: Huh? Oh, well, you know, you say you're with the press and you can get away with anything.
getaway
⇒ 210 p.276

IRV: Yeah...ha! Go to church to get married on a scooter - that's a hot one! Joe's a wonderful liar!
marriedona

MAN: *Tanti bei bambini cosi.*
Auguri, eh. Auguri...

IRV: *Ciao.*

ANN: You don't have to look so worried.
hafto
I won't hold you to it. ⇒ 65 p.255
holdju

JOE: Thank you very much.

この表現に注目！

● You can get away with anything. は直訳では「人は何からでも逃れられる」。get away は「逃れる」の意味。悪いことをした相手を責めるときに You just can't get away with it.（それから逃れられないぞ）などと使う。

ジョー：あ。えへん。

アービング：これからまじめにやるぞ。

アン：“アメリカン・ニュース・サービス”って？どういう意味だったの？

ジョー：え？　ああ、その、あのね、報道関係者だと言えば何でも見逃してくれるんだ。

アービング：そう、何と！　スクーターに乗って結婚式に行く途中だなんて、あれは傑作だよ！　ジョーはなかなかのウソつきだ！

人々：*こんなかわいい子どもをたくさん！おめでとう。おめでとう。*

アービング：さよなら。

アン：そんなに心配そうな顔をしなくてもいいわ。結婚してとは言わないから。

ジョー：それはありがたい。

この音変化に注意！

going ⇒ goin’
-ing は弱くなって -in’ に変わる

get away ⇒ getaway
[t]+ 母音で音がつながる

married on a ⇒ marriedona
[d]+ 母音で音がつながる

have to ⇒ hafto
有声音が、無声音の影響で無声音に変わる

hold you ⇒ holdju
[d]+[j] は [dʒ] に変わる

●That's a hot one!（あれは傑作だよ！）の hot は「素晴らしい」「よくできた」の意味。one は lie（ウソ）のこと。
●アンは心配そうな顔をするジョーに I won't hold you to it.（直訳：約束を守ってとは言わないから）。

ANN: You don't have to be too grateful!
hafto

JOE: Okay, I won't.

ANN: I'm a good liar too, aren't I, Mr. Bradley? ⇒ 77 p.257
goo' liar

JOE: The best I ever met. ⇒ 156 p.268

IRV: Uh-huh!

ANN: Thank you very much.

JOE: Say... come with me! ⇒ 11 p.247

この表現に注目！

●ありがたがるジョーに You don't have to be too grateful!（そんなにありがたがらなくてもいいじゃない）。２人が親密になっていく感じが表現。

アン：そんなにありがたがらなくてもいいじゃない！

ジョー：じゃ、やめるよ。

アン：私もウソが上手でしょ、ブラッドレーさん？

ジョー：会った人の中で一番だ。

アービング：そうそう！

アン：どうもありがとう。

ジョー：そうだ、ついておいで！

この**音変化**に注意！

have to ⇒ hafto
有声音が、無声音の影響で無声音に変わる

good liar ⇒ goo' liar
[d]+[l] で、前の [d] が抜け落ちる

● The best I ever met. は The best liar that I ever met. の略。「今まで会った中で一番のウソつき」。

Chapter 23

【サンタマリア イン コスメディン教会・真実の口】

真実の口の言い伝え

JOE: The Mouth of Truth.
The legend is that if you're given to lying, you put your hand in there, it'll be bitten off.
(putjur / in 'ere)

ANN: Ooh, what a horrid idea.
(whada)

JOE: Let's see you do it. ⇒ 113 p.262

ANN: Let's see you do it. ⇒ 113 p.262

JOE: Sure. ⇒ 143 p.266

ANN: No! No, No, No...

JOE: Hello!

ANN: You beast! It was perfectly all right!
You're not hurt!

JOE: I'm sorry, it was just a joke! All right? ⇒ 87 p.258
(justa)

ANN: You've never hurt your hand.

JOE: I'm sorry, I'm sorry. Okay?

ANN: Yes.

この表現に注目！

● if you're given to lying は「ウソをつくくせがあるなら」。Let's see you do it.（さあ、やってごらん）とジョーとアンが互いに言っているが、互いにウソをついているので、このシーンは緊張感がでている。

ジョー：真実の口だ。言い伝えでは、もしウソつきがそこに手を入れると食いちぎられるんだ。

アン：まあ、恐ろしいこと。

ジョー：やってごらん。

アン：あなたもやってみて。

ジョー：いいとも。あー！

アン：いや、いや！　いや。

ジョー：コンニチハ！

アン：ひどい人！　まったく大丈夫なのね！ケガしてないんだ！

ジョー：ごめんよ、ただの冗談さ！　大丈夫？

アン：その手、ケガしてないのね。

ジョー：ごめん、ごめん。大丈夫？

アン：はい。

この音変化に注意！

put your ⇒ putjur
[t]+[j] は [tʃ] に変わる

in there ⇒ in 'ere
[n]+[th] で、[th] は [n] の音に変わる

what a ⇒ whada
母音 +[t] +母音で、[t] は [d] に変わる

just a ⇒ justa
[t]+ 母音で音がつながる

●ジョーが手を食いちぎられたかのように演じたのはペックのアドリブだった。ヘップバーンは本当にびっくりして叫んだが、それがすごくリアルでワンテイクでOKになった。この顔の石盤はローマ時代の井戸のフタで、海神トリトーネを模したもの。

JOE: All right, let's go. **Look out!!** ⇒ 117 p.262
Lookout

ANN: Ah!

この表現に注目！

● Look out! は、「車が来ている」など差し迫っていることに対して「危ない！」「気をつけて！」。Watch out! とも言う。

ジョー：じゃあ行こう。危ない!!

アン：ああ！

この
音変化に
注意！

Look out ⇒ Lookout

[k]+ 母音で音がつながる

● Look out! に対して、Be careful. と言えば、これから先のことに「気をつけて」「注意して」。

Chapter 24

【モルガーニ通り・祈りの壁】

かなわぬ願い事

IRV: I'll park at the corner.

ANN: What do they mean - all these inscriptions?

JOE: Well, each one represents a wish fulfilled.
It all started during the war, when there was an air raid, right out here. A man with his (with 'is) four children was caught in the street. They ran over (ranover) against the wall, right there, for shelter, prayed for safety. Bombs fell very close but no one was hurt. Later on (Lateron), the man came back and he (an' e) put up the first of these tablets. Since then it's become sort of a shrine. People come, and (come, an') whenever their wishes are granted, they put up (pudup) another one of these little plaques.

ANN: Lovely story.

JOE: Read some of the inscriptions.
Make a wish? ⇒ 119 p.263
Tell the doctor?

この表現に注目！

- Lovely story. は That's a lovely story. の略。
- Make a wish? は Did you make a wish?（願い事をした？）のこと。

アービング：角に止めてくる。

アン：どういう意味、ここに記された言葉は？

ジョー：それぞれ願いがかなったというしるしだ。戦時中に始まったんだが、空襲があって、すぐそこで。４人の子ども連れの男が通りで巻き込まれそうになった。ちょうどその壁の後ろに逃げ込んで、無事を祈った。爆弾はかなり近くに落ちたが、誰もケガしなかった。
後日、男は戻ってきて、最初の札をかけた。それ以来、一種の祈りの場になった。人々がやって来て、願いがかなうと、また別の小さな札をかける。

アン：いい話だわ。

ジョー：いくつか札を読んでごらん。
願い事した？
先生に話してみる？

この音変化に注意！

with his ⇒ with 'is
his は弱くなり [h] が落ちる

ran over ⇒ ranover
[n]+ 母音で音がつながる

Later on ⇒ Lateron
[r]+ 母音で音がつながる

and he ⇒ an' 'e
and は an' と弱くなる
he は弱くなり [h] が落ちる

come and ⇒ come an'
and は an' や n' のように弱くなる

put up ⇒ pudup
母音 +[t] +母音で、[t] は [d] に変わる

● Tell the doctor?（先生に話してみる？）は、ジョーがアンの世話をする先生（医者）のような感じでたずねている。
● the chances of it being granted（⇒ P194）は「それ（願い事）がかなう見込み」。アンは、ここで何か願い事をしたことを表す。

ANN: Anyway, the chances of it being granted are very slight. ⇒ 157 p.268
ovit

IRV: Well, what now? ⇒ 185 p.272

ANN: I've heard of a wonderful place for dancing on a boat. ⇒ 106 p.261
ona

JOE: Oh, you mean the barges down by *Sant' Angelo.*

ANN: Yes! Couldn't we go over tonight?
Couldn' we

IRV: Hey, why not? ⇒ 200 p.274

JOE: Anything you wish. ⇒ 4 p.246

ANN: And at midnight I'll turn into a pumpkin and drive away in my glass slipper.

JOE: And that'll be the end of the fairytale.
An' that' ll
Well, I guess, er, Irving has to go now.
hasto

IRV: I do?

JOE: Yes, you know, that big business development of yours that you have to attend to?
hafto

IRV: Ah- oh, the development!

JOE: Yes, can't afford not to take care of that.
can'afford

IRV: Yeah. Er, I'll, er, see you later, Smitty. ⇒ 75 p.256
see ya

この表現に注目！

● Anything you wish.（お望みなら何でも）は、アンの Anyway, the chances of it being granted are very slight.（願い事がかなう見込みはほとんどないわ）を受けた言葉。ジョーの心優しさが表れている。

アン：どうせ、願い事がかなう見込みはほとんどないわ。

アービング：さて、これからは？

アン：船の上で踊れる素敵な場所があるって聞いたわ。

ジョー：サンタンジェロの下のはしけ船のことだな。

アン：そうよ！　今夜そこに行かない？

アービング：それは、いいね。

ジョー：お望みなら何でも。

アン：そして真夜中には私はカボチャになってガラスの靴で立ち去るの。

ジョー：それで、おとぎ話はおしまいだな。さて、アービングはもう行かないと。

アービング：俺が？

ジョー：そう、あの大口の開発に精を出さないと。

アービング：ああ、あの開発ね！

ジョー：片づけないわけにはいかないよ。

アービング：そうだな。じゃ、また後で、スミスちゃん。

この音変化に注意！

of it ⇒ ovit
[v]+母音で音がつながる

on a ⇒ ona
[n]+母音で音がつながる

Couldn't we ⇒ Couldn' we
[n]+[t]で、[t]が抜け落ちてつながる

And that'll ⇒ An' that'll
and は an' や n' のように弱くなる

has to ⇒ hasto
有声音が、無声音の影響で無声音に変わる

have to ⇒ hafto
有声音が、無声音の影響で無声音に変わる

can't afford ⇒ can'afford
[n]+[t]で[t]が抜け落ちてつながる

see you ⇒ see ya
you は弱くなり yu や ya に変わる

● development には「開発」のほか「写真の現像」の意味もある。ジョーはアンに分からないように big business development と言って「大きな仕事の開発」と「重要な写真の現像」とをかけている。

ANN: Good luck with the big development. ⇒ 24 p.249

IRV: Yeah, thanks.

この表現に注目！

● Good luck with は直訳では「～に対して幸運を」⇒「～がうまくいくように祈っている」。物事が始まる前に「～をがんばって」という意味。

アン：大口の開発、がんばって。

アービング：ありがと。

● Yeah, thanks. は、かなりカジュアルな表現。アンへの親しみが増してきたため。普通の言い方は、Yes, thank you. なお、Yeah は、ほとんど聞こえない。

Chapter 25

【サンタンジェロ城下の船】

パーティーでの大騒動

JOE: *Grazie.*

ANN: Hello.

JOE: Hello.

ANN: Mr. Bradley, if you **don't mind** my saying so, I-I think you are a ringer. ⇒ 67 p.255
don' min'

JOE: Oh- wha-? Oh, thanks very much.

ANN: You've **spent the** whole day doing things I've always **wanted to**. Why?
spen' the / wante' to

JOE: I don't know. **Seemed the** thing to do. ⇒ 135 p.265
Seem' the

ANN: I've never heard of anybody so kind.

JOE: **Wasn't any** trouble. ⇒ 172 p.270
Wasn'any

ANN: **Or so** completely unselfish.
O' so

JOE: Let's have a drink **at the** bar. ⇒ 112 p.262
a' the

MAR: Oh! *Finalmente!* There you are!

この表現に注目！

●アンがI think you are a ringer.（あなたはとても"クリソツ"だと思うわ）と言ったのは、ringerを「とても魅力的な人」という意味と思っているため（⇒P161）。ジョーに恋心を抱いている。アンの初恋。

ジョー：どうも。

アン：どうも。

ジョー：どうも。

アン：ブラッドレーさん、言わせていただくなら、あなたは“クリソツ”だと思うわ。

ジョー：え、何？　それは、どうもありがとう。

アン：私がずっとしたかったことをするのに丸1日過ごすなんて。どうして？

ジョー：分からない。そうすべきって感じで。

アン：こんなに親切な方は聞いたことがないわ。

ジョー：大したことないよ。

アン：こんなに私利私欲がない方も。

ジョー：バーで一杯飲もう。

この音変化に注意！

don't mind ⇒ don' min'
単語の最後の破裂音は消える

spent the ⇒ spen' the
[t]+[ð] で、前の [t] が抜け落ちる

wanted to ⇒ wante' to
似た音が続くと、前の音が抜け落ちる

Seemed the ⇒ Seem' the
[d]+[ð] で、前の [d] が抜け落ちる

Wasn't any ⇒ Wasn'any
[n]+[t] で、[t] が抜け落ちてつながる

Or so ⇒ O' so
or は o' や r' と弱くなる

at the ⇒ a' the
[t]+[ð] で、前の [t] が抜け落ちる

美容師：あー！　ついに！　来ましたね！

●アンはジョーの気持ちを聞きたくて質問するが、彼はやましさを感じており、アンの純粋な心をもてあそぶことができない。そこで (It) Seemed the thing to do.（そうすべきって感じだった）や (It) Wasn't any trouble.（大したことなかったよ）とそっけなく答える。そして Let's have a drink at the bar.（バーで一杯飲もう）と言ってその話を止める。

Er, *scusatemi tanto.* I look for you a long time.
I think maybe you not come. Ah, off, all off!

ANN: Oh, it's nice without, isn't it? Cool.
isn' it

MAR: Oh, very, very good.

ANN: This is Mr. Bradley.

MAR: I, Mario Delani.

JOE: Old friends?

ANN: Oh, yes, he cut my hair this afternoon.
He invited me here tonight.

JOE: Well, what did you say the name was? ⇒ 179 p.271
didju

MAR: Delani - Mario Delani.

JOE: Mario Delani.

MAR: Yes.

JOE: I'm very glad to know you. ⇒ 90 p.259
gla' to

MAR: Me, too. Oh, may I enjoy myself, er, the pleasure?
You mind?

JOE: No, no - go right ahead. ⇒ 23 p.249
righdahead

MAR: Thank you.

この表現に注目！

● I'm very glad to know you. は、「知り合いになれてとても嬉しい」という意味だが、ジョーは、この美容師が特ダネ記事になると思って、このように表現。実際、後で名前をメモしている様子がうかがえる。

え一、*失礼*。ずっと捜してて。もう来ないのかと思ってました。あ、全部、全部剃った！

アン：まあ、ないほうが素敵よ、でしょ？　素敵。

美容師：ああ、とてもいいよ。

アン：こちらはブラッドレーさん。

美容師：わたし、マリオ・ディラーニです。

ジョー：古い友だち？

アン：ええ、今日の午後、髪を切ってくださったの。ここにお誘いいただいたのよ。

ジョー：ほう、お名前は何とおっしゃいました？

美容師：マリオ・ディラーニ。

ジョー：マリオ・ディラーニさんね。

美容師：ええ。

ジョー：お知り合いになれてとても嬉しいです。

美容師：こちらこそ。あの、楽しんでも、踊りを？いいですか？

ジョー：ええ、どうぞ、どうぞ。

美容師：ありがとう。

この音変化に注意！

isn't it ⇒ isn'it
[n]+[t] で [t] が**抜け落ちてつながる**

did you ⇒ didju
[d]+[j] は [dʒ] に**変わる**

glad to ⇒ gla' to
似た音が続くと、前の音が**抜け落ちる**

right ahead ⇒ righdahead
母音 +[t] +母音で、[t] は [d] に**変わる**

●美容師の英語はカタコトなので参考にしないこと。「アンと踊ってもいいですか？」というセリフは、may I have the pleasure of dancing with her? が正しい。

IRV: *Stampa!*
Ciao, Joe. Did I miss anything? ⇒ 12 p.247
Didl

JOE: You're just in time, pal. ⇒ 227 p.278

IRV: Who's Smitty dancing with?

JOE: Barber - cut her hair this afternoon, made a date for tonight.

IRV: 'The Princess and the Barber'.
an' the

ANN: What is it?

MAR: *Momento.*

MAN1: August!

MAR: Oh. Thank you. Bye.

MAN2: Your Highness.
You will dance quietly towards the entrance.
You'll
There's a car waiting.

ANN: No...

MAN1: Your Highness, please!

ANN: You...you've made a mistake.
mad'a

この表現に注目！

● Did I miss anything?（何か逃がしたかな？）は、パーティーや会合に遅れてきたときなどに使える。このmissは「取り逃がす」「つかみそこねる」といった感じ。

アービング：*報道関係！*
やあジョー。何か見逃したことは？

ジョー：ちょうどいいところに来たよ。

アービング：スミスちゃんと踊ってるのは誰？

ジョー：美容師だって、今日の午後、彼女の髪を切ってデートの約束をした。

アービング："王女と美容師"か。

アン：何なの？

美容師：*ちょっと。*

職員1：オーガスト！

美容師：ありがとう。それじゃ。

職員2：王女殿下。踊りながら静かに入り口へ向かってください。
車を待たせてあります。

アン：イヤよ…

職員2：王女殿下、お願いです！

アン：人、人違いですわ。

この**音変化**に注意！

Did I ⇒ Didl
[d]+母音で音がつながる

and the ⇒ an' the
and は an' や n' のように弱くなる
[d]+[th] で、前の [d] が抜け落ちる

you will ⇒ you'll
you will は短縮される

made a ⇒ mad'a
[d]+母音で音がつながる

●ジョーの美容師の説明は、He's a barber. He cut her hair this afternoon. He made a date for tonight. のことだが、省略してキビキビした言い回しになっている。

Non parlo Inglese.
Let me go! Will you let me go? ⇒ 203 p.275
Le' me / le' me
Mr. Bradley!
Let me go, will you? ⇒ 110 p.261
Mr. Bradley!

IRV: Hit him again, Smitty!
Hit 'im
Joe, give me my car keys.
gimme
JOE: Police! Police! Come on! ⇒ 10 p.247
IRV: The other side of the bridge!

この**表現**に注目！

● *Non parlo Inglese.*（私は英語を話しません）とアンはイタリア語で言っている。*Parlo* は I speak で、*Inglese* は English。
● Let me go!（放して！）の let には「希望どおりにさせて」というニュアンスがある。Will you let me go?（どうか放して）の Will には「強い依頼」が感じられる。

英語は話しません。
放して！　放してくださらない？
ブラッドレーさん！
放して、お願い。
ブラッドレーさん！

アービング：もう1回ガツーンと、スミスちゃん！
ジョー、俺の車の鍵をくれ。

ジョー：警察だ！　警察だ！　さあ早く！

アービング：橋の反対側だ！

この**音変化**に注意！

Let me ⇒ Le' me
[t]+[m] で、前の [t] が抜け落ちる

Hit him ⇒ Hit 'im
him は弱くなり [h] が抜け落ちる

give me ⇒ gimme
[v]+[m] で、[v] が [m] に変わる

● Joe, give me my car keys.（ジョー、俺の車の鍵をくれ）で、ジョーがアービングの車の鍵を持っていることが分かる。脚本では、Joe, here my car keys.（ジョー、これが俺の車の鍵だ）となっている。

Chapter 26

【テベレ川・橋の下のアーチ】

ジョーとアン王女の初めてのキス

JOE: All right?

ANN: Fine. How are you?

JOE: Oh, fine!
Say, you know, you were **great back** there.
grea' back
⇒ 222 p.278

ANN: You weren't so **bad yourself**. ⇒ 223 p.278
badjurself

JOE: Well...I...I guess **we'd better** get Irving's car, and get **out of here**. ⇒ 51 p.253
we' better
outta here

【ジョーのアパート・室内】

ジョーとアン王女の心中

RAD: This is the American Hour from Rome, continuing our program of musical selections.

JOE: Everything ruined?

ANN: No...they'll be dry **in a** minute. ⇒ 165 p.269
ina

JOE: **Suits you**. ⇒ 142 p.266
Suitju

この表現に注目！

●アパートの前のワンカットに注目。ジョーとアンが２人だけの時間を持った（結ばれた）という間接的な表現。ジョーがEverything ruined?（服は全部台無し？）と聞いたのに対してアンがNo...they'll be dry in a minute.（いいえ、すぐに乾くわ）と答えているのは服が乾くまで２人だけの時間があったことの暗示。

ジョー：大丈夫？

アン：ええ。あなたはいかが？

ジョー：うん、平気さ！
何と、さっきは大活躍だったね。

アン：あなたもなかなかだったわ。

ジョー：さて、アービングの車で、ここから引き上げないと。

ラジオ：こちらはローマのアメリカン・アワーです、引き続き音楽番組をお送りします。

ジョー：全部台無し？

アン：いいえ、すぐに乾くわ。

ジョー：似合うよ。

この音変化に注意！

great back ⇒ grea' back
[t]+[b] で、前の [t] が抜け落ちる

bad youself ⇒ badjurself
[d]+[j] は [dʒ] に変わる

we'd better ⇒ we' better
[d]+[b] で、前の [d] が抜け落ちる

out of here ⇒ outta here
of が入った語句では、[v] が抜け落ちて前の音とつながる

in a ⇒ ina
[n]+ 母音で音がつながる

Suits you ⇒ Suitju
Suits の [s] は抜け落ちる
[t]+[j] は [tʃ] に変わる

- Suits you. は It suits you. の略。服装や髪型などが「あなたに似合っている」。
- You should always wear my clothes.（⇒ P208 僕の服をいつも着てたら）は「僕たち、これからどうする」ということを間接的にたずねたもの。

You should always wear my clothes. ⇒ 219 p.277

ANN: Seems I do.

JOE: I thought a little wine might be good.
migh' be

ANN: Shall I cook something? ⇒ 136 p.265

JOE: No kitchen. Nothing to cook, I always eat out.
eatout

ANN: Do you like that?

JOE: Well, life isn't always what one likes, is it?
isn'always
⇒ 114 p.262

ANN: No, it isn't.

JOE: Tired?

ANN: A little.

JOE: You've had quite a day. ⇒ 230 p.279
quit'a

ANN: A wonderful day!

RAD: This is the American Hour from Rome, broadcasting a special news bulletin in English and Italian. Tonight, there is no further word from the bedside of Princess Ann in Rome, where she was taken ill yesterday on the last leg of her
fr'm

この表現に注目！

●ジョーの life isn't always what one likes, is it? の問いに対して、アンの答えをフルセンテンスで言うと No, it isn't always what one likes.（ええ、人生はままならないわ）。

僕の服をいつも着てたら。

アン：そうね。

ジョー：ちょっとワインを飲むといいかなと思って。

アン：何か料理しましょうか？

ジョー：台所がない。料理の材料が何もない、いつも外食ばかりだ。

アン：それがお好きなの？

ジョー：ええと、人生はままならないからね、そうだろ？

アン：ええ、そうね。

ジョー：疲れた？

アン：少し。

ジョー：大変な1日だったね。

アン：素晴らしい1日だったわ！

この音変化に注意！

might be ⇒ migh' be
[t]+[b] で、前の [t] が抜け落ちる

eat out ⇒ eatout
[t]+ 母音で音がつながる

isn't always ⇒ isn'always
[n]+[t] で、[t] が抜け落ちてつながる

quite a ⇒ quit'a
[t]+ 母音で音がつながる

from ⇒ fr'm
for は [f] と弱くなる

ラジオ：こちらはローマのアメリカン・アワーです。番組から特別ニュース速報を英語とイタリア語でお伝えします。ヨーロッパ親善旅行最終行程のローマで、昨日発病されたアン王女のご容態について、今晩もその後の発表はありません。このこと

- no further word は「さらなる知らせ・報道・ニュース」といった意味。
- the bedside of Princess Ann は「アン王女の病室」のこと。

European goodwill tour. This has given rise to rumors that her condition may be serious, which is causing alarm and anxiety among the people in her country.
La Principessa Anna...

ANN: The news can (c'n) wait till tomorrow.

JOE: Yes.

ANN: May I have a little more wine? ⇒ 120 p.263
I'm sorry I couldn't cook us (cookus) some dinner.

JOE: Did you (Didju) learn how in school?

ANN: Mmmm, I'm a good cook (goo' cook). I could earn my living at it. ⇒ 41 p.252
I can sew too, and clean a house, and iron.
I learned to (learn' to) do all those things.
I just...haven't had the chance to do it for (f'r) anyone.

JOE: Well, it looks like I'll have to (hafto) move...and get myself a place with a kitchen. ⇒ 118 p.263

ANN: Yes. I...have to (hafto) go now. ⇒ 55 p.254

JOE: Anya...there's...something that I want to (wanna) tell you... ⇒ 163 p.269

この表現に注目！

●ジョーが I'll have to move や get myself a place with a kitchen で「引っ越し」や「キッチンつきの部屋」のことを伝えているのは、「僕たち、これからどうする」という意味。それに対して、I...have to go now.（もう、行かなくては）とアンは別れることを決心して言う。

から、ご病状は深刻とのうわさが流れ、母国にも
不安と懸念が広がっています。
アン女王は…

アン：ニュースは明日でいいわ。

ジョー：そうだね。

アン：もう少しワインをいただける？
料理が作れなくて残念だわ。

ジョー：学校で習ったの？

アン：料理は得意なの。それで食べていけるくらい。
お裁縫も、お掃除もアイロンがけもできるわ。そういったこと全部習ったの。
ただ、誰かのためにしてあげる機会がなくて。

ジョー：じゃあ、どうやら引っ越さないといけないな…キッチンつきの部屋を見つけないと。

アン：そうね…もう行かなくては。

ジョー：アーニャ、話したいことがある…

この音変化に注意！

can ⇒ c'n
can は c'n と弱くなる

cook us ⇒ cookus
[k]+ 母音で音がつながる

Did you ⇒ Didju
[d]+[j] は [dʒ] に変わる

good cook ⇒ goo' cook
[d]+[k] で、前の [d] が抜け落ちる

learned to ⇒ learn' to
似た音が続けば、前の音が抜け落ちる

for ⇒ f'r
for は [f] と弱くなる

have to ⇒ hafto
有声音が、無声音の影響で無声音に変わる

want to ⇒ wanna
want a は wanna に変わる

● Anya...there's...something that I want to tell you... は「アーニャ、君をだますのはいやで、本当のことを言いたい」というジョーの心情。これに対してアンは「愛してる」と言われると思って No, please...nothing. とさえぎる（⇒ P212）。

ANN: **No, please...nothing.**
I must go and get dressed. ⇒ 58 p.254
mus' go 'n'

この表現に注目！

● No, please...nothing. は No, please say nothing.（いえ、お願い、何も言わないで）のこと。感情があふれて言葉が少ない。

アン：いえ、お願い…何も。
服を着替えてこないと。

この**音変化**に注意！

must go ⇒ mus' go
[t]+[g] で、前の [t] は抜け落ちる

and ⇒ 'n'
and は弱くなって 'n' だけになる

● go and get は、会話では and がよく省略される。Let's go get a drink.（飲みに行こうよ）などと言う。

Chapter 27

【アービングの車の中】

ジョーとアン王女の切ない別れ

ANN: Stop at the next corner, please. ⇒ 140 p.266

JOE: Okay.
'kay
Here?

ANN: Yes. I have to leave you now.
hafto
I'm going to that corner there, and turn.
You must stay in the car and drive away.
mus' stay
Promise not to watch me go beyond the corner.
no' to
Just drive away and leave me, as I leave you.

JOE: All right.

ANN: I don't know how to say goodbye. ⇒ 47 p.252
I can't think of any words.
can' think

JOE: Don't try. ⇒ 16 p.248
Don' try

【大使館・アン王女の寝室】

威厳のあるアン王女

AMB: Your Royal Highness...twenty-four hours...they can't all be blank.

ANN: They are not.

この表現に注目！

● I have to leave you now... は、アンが高まる感情をおさえて、やっと言った言葉。「初めての男」にもう2度と会えないので、非常に切ない気持ち。
● as I leave you. は「私がお別れするのと同時に」というニュアンス。このasは「〜と同時に」で同時性を強調。

アン：次の角で止めてください。

ジョー：分かった。
ここ？

アン：ええ。ここでお別れしないと。私は、あそこの角に行って曲がるわ。あなたは車の中に残って、走り去って。あの角から先に行く私を見ないと約束して。そのまま走り去ってお別れして、私もお別れします。

ジョー：分かった。

アン：何とお別れを言えばいいのか。
何も言葉が思いつかなくて。

ジョー：無理しなくても。

この音変化に注意！

Okay ⇒ 'kay
あいまい母音は消える

have to ⇒ hafto
有声音が、無声音の影響で無声音に変わる

must stay ⇒ mus' stay
[t]+[s]で、前の[t]が抜け落ちる

not to ⇒ no' to
同じ音が続けば、前の音が抜け落ちる

can't think ⇒ can' think
[t]+[θ]で、前の[t]が抜け落ちる

Don't try ⇒ Don' try
同じ音が続けば、前の音が抜け落ちる

大使：王女殿下、24時間です。これを丸々空白にはできません。

アン：そうね。

●アンがI don't know how to say goodbye. I can't think of any words.（何とお別れを言えばいいのか。何も言葉が思いつかなくて）と言えば、ジョーがDon't try (to think of some words).（無理して言葉を考えなくても）と答える。その後、本当に切ない気持ちがこみ上げてくる。

Chapter 27

AMB: But what explanation am I to offer Their Majesties?

ANN: I was indisposed. I am better.

AMB: Ma'am - you must appreciate that I have my duty to perform, just as Your Royal Highness has Her duty...
azjur

ANN: Your Excellency, I trust you will not find it necessary to use that word again. Were I not completely aware of my duty to my family and my country, I would not have come back tonight.
trustju / WereI
Or indeed, ever again.
everagain
Now, since I understand we have a very full schedule today, you have my permission to withdraw. No milk and crackers.
milkan' crackers
That will be all, thank you, Countess.

この表現に注目！

● Were I not completely aware of my duty to my family and my country, I would not have come tonight. は「もし私が王家と国家に対する義務をまったく自覚していなければ、今晩戻ることはなかったでしょう」。Were I... は仮定法で If I were not... と同じだが、入れ替えたほうが強調される。

大使：両陛下には何と申し開きを？

アン：病気だったが、回復したと。

大使：王女様、ご自覚ください、私に遂行する義務があると同様、王女殿下にもご義務が…

アン：閣下、そのお言葉はもうお使いになる必要はありません。王家と国家に対する義務をまったく自覚していなければ、今夜戻ることはなかったでしょう。あるいは、もう二度と。
今日のスケジュールはかなりいっぱいだと承知しています、もう下がってもよろしい。
ミルクとクラッカーも結構。
以上です、ご苦労様、伯爵夫人。

この音変化に注意！

as Your ⇒ azjur
[z]+[j] は [ʒ] に変わる

trust you ⇒ trustju
[t]+[j] は [tʃ] に変わる

Were I ⇒ WereI
[r]+ 母音で音がつながる

ever again ⇒ everagain
[r]+ 母音で音がつながる

milk and crackers ⇒ milkan' crackers
and は an' のように弱くなる

●このシーンでは、アンは王女として威厳と権威に満ちている。初めは子どもっぽい娘だったのが、ここでは黒い服を着ていかにも大人になった感じ。側仕えに毅然とした態度でのぞむ。No milk and crackers. もアンが大人の女性になったことを示す。

Chapter

28 【ジョーのアパート・室内】支局長のジョーへの追及

HEN: Joe, is it true?
Did you really get it?
Didju geti'

JOE: Did I get what?

HEN: The Princess story, the exclusive! Did you get it?

JOE: No, no, I didn't get it.

HEN: What? But that's impossible!

JOE: Have a cup of coffee or something?
o' somethin'

HEN: Joe, you can't hold out on me.
holdout

JOE: Who's holding out on you?

HEN: You are.

JOE: What are you talking about? ⇒ 177 p.271

HEN: I know too much! First you come into my office and ask about an exclusive on the Princess. Next, you disappear, then I get the rumor from my contact at the Embassy that the Princess isn't sick at all and she's out on the town.
isn' sick atall

この表現に注目！

● that's impossible! は「そんなはずはない！」という意味で使う。impossible は物や事がとてもありえない、信じられないといったニュアンス。I can't believe it! とも言える。

支局長：ジョー、本当か？
本当に手に入れたのか？

ジョー：手に入れたって何をです？

支局長：王女の話だ、独占記事だよ！　手に入れたのか？

ジョー：いえ、いえ、ダメでした。

支局長：何？　そんなはずない！

ジョー：コーヒーでもお飲みに？

支局長：ジョー、隠し立てはできんぞ。

ジョー：誰が隠し立てを？

支局長：君がだよ。

ジョー：何の話ですか？

支局長：いろいろ知ってるぞ！　まずは私のオフィスに来て、王女の独占記事のことを聞いた。
次に、君はいなくなった、すると大使館筋から王女は全然病気ではなく、街に遊びに出ているといううわさを聞いた。

この音変化に注意！

Did you ⇒ Didju
[d]+[j] は [ʤ] に変わる

get it ⇒ geti'
単語の最後の破裂音は消える

or something ⇒ o' somethin'
or は o' や r' と弱くなる
-ing は -in' と弱くなる

hold out ⇒ holdout
[d]+ 母音で音がつながる

isn't sick ⇒ isn' sick
[t]+[s] で、前の [t] が抜け落ちる

at all ⇒ atall
[t]+ 母音で音がつながる

● hold out は「情報などを隠す・与えない」という意味。hold out on someone で「人に隠し事をする」。

JOE: What kind of a newspaperman are you? ⇒ 184 p.272
(kind of a: kindva)
You believe every two-bit rumor that comes your way?
(comes your: comezjur)

HEN: Yeah. And a lot of other rumors - about a shindig at a barge down by the river and the arrest of eight secret service men from a country which shall be nameless. And then comes of news of the lady's miraculous recovery. It all adds up!
(lot of: lotta / adds up: addsup)
⇒ 96 p.259
And don't think by playing hard-to-get you're going to raise the price on that story.
(going to: gonna / on that: on 'at)
A deal's a deal! Now, come on, come on, come on.
(come on: com'on)
⇒ 10 p.247
Where is that story?

JOE: I have no story.

HEN: Then what was the idea of...

IRV: Joe!
Man, wait till you see these! ⇒ 171 p.270

JOE: Irving...

IRV: Hiya, Mr. Henne- oh, you got here at the right time. Wait till you get a look at...

JOE: Irving!

この表現に注目！

● two-bit は「おそまつな、安っぽい、つまらない」の意味。two-bit rumor（つまらないうわさ）を信じるなんてとジョーは支局長の追究をかわそうとしている。

ジョー：どんな新聞記者なんですか?
転がり込んでくるくだらないうわさをいちいち本気にするんですか?

支局長：そうだ。うわさは他にもたくさんある、川での船上パーティーのこと、某国の秘密情報部員が8人拘束されたこと。
それに王女の奇跡的回復のニュース。すべてつじつまが合う!
もったいぶって記事の値段をつり上げるつもりか。
約束は約束だ! さあ出せ、出せ。
記事はどこだ?

ジョー：記事はありません。

支局長：じゃ、どういうつもりで…

アービング：ジョー!
いいか、これを見たら驚くぜ!

ジョー：アービング…

アービング：どうも、支局長さん、ちょうどいいときにいらっしゃいました。これをご覧になれば…

ジョー：アービング!

この音変化に注意!

kind of a ⇒ kindva
kindofは、ofの発音によりkindvやkindaに変わる

comes your ⇒ comezjur
[z]+[j]は[ʒ]に変わる

lot of ⇒ lotta
ofが入った語句では、[v]が抜け落ちて前の音とつながる

adds up ⇒ addsup
[p]+母音で音がつながる

going to ⇒ gonna
going toはgonnaに変わる

on that ⇒ on 'at
[n]+[th]で、[th]は[n]の音に変わる

come on ⇒ com'on
[z]+母音で音がつながる

- shall be namelessは「名を明かさない」。
- playing hard-to-getは「その気のないふりをする」「口説きに簡単に応じないでじらす」。主に女性が使う。

IRV: What's the idea?! ⇒ 191 p.273

JOE: What do you (Whadya) mean, charging in and spilling things all over my place!

IRV: Who's spilling?

JOE: You did! I spoke to you about that once before. Don't you remember? ⇒ 19 p.248

IRV: Joe, look at (looka') my pants!

JOE: Yeah, you'd better come in here and dry them (dry 'em) off, Irving.

IRV: Aww, nuts to that.
Hey, did you tell him (tell 'im) about Smitty?

JOE: Irving...

HEN: Smitty?

IRV: Oh ho! Mr. Hennessy, wait till you...

JOE: There you go again, Irving!

IRV: Joe...listen, th...

JOE: Hey, all right, save that till later. ⇒ 134 p.265
You're here early anyway.
Why don't you (don'tju) go home and shave!

IRV: Shave?

この表現に注目！

● spilling things all over my place!（人の部屋中に物をこぼして！）とジョーはここでもspillの「（液体などを）こぼす」に「（秘密などを）もらす」の意味をかけている。

アービング：どういうつもりだ?!

ジョー：どういうことだ、飛び込んできて、部屋中にいっぱいにこぼして！

アービング：誰がこぼしてんだよ？

ジョー：君だよ！　前にも一度言っただろ。覚えてないのか？

アービング：ジョー、このズボンを見ろよ！

ジョー：ああ、こっちに来て乾かせ、アービング。

アービング：あーあ、ちぇっ。
おい、スミスちゃんのことは話した？

ジョー：アービング…

支局長：スミスちゃんって？

アービング：あの、支局長さん、これを…

ジョー：またやったな、アービングってば！

アービング：ジョー…聞いてくれ…

ジョー：おい、いいか、それは後にしろ。
とにかく来るのが早すぎたんだよ。
家に戻ってヒゲを剃ったらどうだ！

アービング：ヒゲを剃る？

この音変化に注意！

What do you ⇒ Whadya
What do you では、[t] が [d] に変わる
you は弱くなって ya になる

look at ⇒ looka'
[k]+ 母音で音がつながる

dry them ⇒ dry 'em
them は [th] がとれて 'em や 'm と弱くなる

tell him ⇒ tell 'im
her, him, his, him は弱くなり [h] が抜け落ちる

don't you ⇒ don'tju
[t]+[j] は [tʃ] に変わる

- nuts to that は俗語で（今起きたことに対して）「くそ」「ちくしょう」といった意味。
- Why don't you go home and shave!（家に戻ってヒゲを剃ったらどうだ！）で、ジョーは「ヒゲを剃る」の shave に close shave（危機一髪）をかけている。

JOE: Yeah, or else keep quiet till Mr. Hennessy and I are finished talking.

HEN: Hey, what kind of a routine is that? What are you guys up to? (What' re) ⇒ 176 p.271
Who's Smitty?

JOE: Oh, he's a guy that we met.
You wouldn't care for him... (wouldn' care)

HEN: What am I supposed to look at? (suppose' to)

JOE: Oh, just a couple of Irving's dames.
You, you wouldn't like them. (like' em) Er, maybe you would...

HEN: Don't change the subject! ⇒ 14 p.248
When you came back into my office yesterday...

JOE: Yeah, I know, yesterday at noon (a' noon) I thought I had a good lead, but I was wrong!
That's all there is to it. ⇒ 152 p.268
There is no story.

HEN: Okay. She's holding the press interview today.
Same time, same place.
Maybe that's one story you can get!
And you owe me five hundred bucks!

この表現に注目！

● What are you guys up to? は「お前たち何をたくらんでるんだ？」。この up to は「たくらむ」「もくろむ」で、「取り組み」という意味もある。What are you up to? なら「何に取り組んでいるの？」。

ジョー：そうだ、さもなければ、支局長との話が終わるまで黙っててくれ。

支局長：おい、一体どういうことだ？　お前たち何をたくらんでる？
スミスちゃんって誰だ？

ジョー：僕たちが出会った男です。
ご興味ないでしょう…

支局長：何を見せてもらえるのかな？

ジョー：アービングの女たちです。
お気に召しませんよ。まあ、お気に召すかも…

支局長：話題を変えるな！
昨日、私のオフィスに戻ってきたときは…

ジョー：ええ、確かに、昨日のお昼は確かな当てがあったと思って、でも間違いでした！
それだけのことですよ。
記事はありません。

支局長：分かった。王女は今日記者会見を開く。
同じ時間、同じ場所だ。
それくらいの記事なら取れるだろ！
それから500ドルの貸しだぞ！

この音変化に注意！

what are ⇒ What're
疑問詞+be動詞/will/wouldは短くなる

wouldn' t care ⇒ wouldn' care
[t]+[k]で、前の[t]が抜け落ちる

supposed to ⇒ suppose' to
有声音が、無声音の影響で無声音に変わる

like them ⇒ like' em
themは[th]がとれて'emや'mと弱くなる

at noon ⇒ a' noon
[t]+[m]で、前の[t]が抜け落ちる

● What am I supposed to look at? は直訳では「私は何を見ることになっている？」。予定、義務などを表す。What am I supposed to do? と言えば「私は何をしたらいいの？」。

JOE: Take it out of my salary.
Tak'idout
Fifty bucks a week.

HEN: Don't think I won't!

この表現に注目！

● Take it out of my salary. Fifty bucks a week. を 1 つの文にすると、Take fifty dollars a week out of my salary. となる。ジョーは、2 つの短い文にして、たたみ込むように言っている。

ジョー：給料から天引きを。
1週間に 50 ドル。

支局長：必ずそうしてやる！

この
音変化に
注意！

Take it out ⇒ Tak'idout
[k]+ 母音で音が**つながる**
[t]+ 母音で音が**つながる**
母音 +[t]+ 母音で、[t] は [d] に**変わる**

● Don't think I won't (do that)! は直訳すると「私がそうしないと思うなよ！」。2 重否定で、意味を強調。

Chapter 29

【ジョーのアパート・室内】

アン王女の写真

IRV: Hey, what gives? ⇒ 183 p.272
Have we had a better offer?

JOE: Irving...I, I don't know just how to tell you this, but...

IRV: Wait till I sit down.

JOE: Well, in regard to (regar' to) the story...that goes with these (wi' these)... there is no story.

IRV: W-why not?

JOE: I mean, not as far as (faras) I'm concerned.

IRV: Er, well, the, er, pictures came out pretty (predy) well.
You want to (wanna) have a look at them (at 'em)? ⇒ 221 p.278
Huh? How about a blow-up from a negative that size, huh?

JOE: Yeah. Ha, that's her first cigarette, huh?

IRV: Oh yeah, at Rocca's. Hey, the Mouth of Truth.
Oh, you want to (wanna) know the caption I had (I'd) in mind there?

この表現に注目!

● What gives? は俗語で「どうしたんだ？」「何事だ？」という意味。で、What's up? と同じ。親しい人に使う。両方ともあいさつとして「どうしてる？」と使うことも多い。

アービング：おい、どういうことだ？
他にいい条件があったのか？

ジョー：アービング、どう言ったらいいのか分からないが…

アービング：座るまで待ってくれ。

ジョー：あの、これらにつける記事のことだが…
記事はない。

アービング：な、何でだ？

ジョー：つまり僕に関してはだ。

アービング：あの、写真はうまくできたよ。
ちょっと見るかい？
この引き伸ばしはどうだ、このサイズのネガから、どう？

ジョー：いいね。おっ、王女の初めてのタバコだ。

アービング：そう、ロッカズでだ。
おっと、真実の口。あ、ここで見出しを思いついたんだが知りたいか？

この音変化に注意！

regard to ⇒ regar' to
似た音が続けば、前の音が抜け落ちる

with these ⇒ wi' these
同じ音が続けば、前の音が抜け落ちる

far as ⇒ faras
[r]+ 母音で音がつながる

pretty ⇒ predy
母音 +[t] + 母音で、[t] は [d] に変わる

want to ⇒ wanna
want to は wanna に変わる

at them ⇒ at 'em
them は [th] がとれて 'em や 'm と弱くなる

want to ⇒ wanna
want to は wanna に変わる

I had ⇒ I'd
主語 +had は短くなる

● The pictures came out pretty well. は「写真はよく撮れていたよ」という意味。日常会話でそのまま使える。come out は（写真が）「はっきり写っている」。

"Barber Cuts In" - huh?

JOE: Well, here's the one I figured - would be the key shot for the whole layout.
"The Wall Where Wishes Come True," hmm?

IRV: Joe, that's good! Lead off with that, then follow up with the wishes?

JOE: Yeah.

IRV: Look at here. I dug that up out of a file. "Princess Inspects Police."
(Look at → Lookat)

JOE: Yeah, but...

IRV: "Police Inspects Princess."
Huh? How about that?
(How about → How 'bout)

JOE: Yeah. Pretty good, pretty good.

IRV: Oh, wait Joe, I got a topper for you - there.
(got a → gota)

JOE: Wow!

IRV: Is that a shot! ⇒ 92 p.259
(that a → thada)

JOE: What a picture! ⇒ 175 p.271

IRV: Is that a shot, Joe? "Body Guard Gets Body Blow!"

この表現に注目！

● I got a topper for you - there.（傑作があるんだ、ほら）のtopperは「いちばん上のもの」ということで「すぐれた人や物」を指す。このセリフは、かなり聞き取りにくい。

「美容師 カットイン」。どうだ？

ジョー：ああ、これだ、これは全体のレイアウトのカギとなる写真だと思った。
「願いがかなう壁」、どうだ？

アービング：ジョー、いいね！　それで始めて、願いを続けるってわけだな？

ジョー：そうだ。

アービング：これを見ろよ。こんな写真がファイルから出てきた。「王女 警察をご視察」。

ジョー：うん、でも…

アービング：「警察 王女を尋問」。
どう？　どうだよ？

ジョー：うん。実にいい、なかなかいい。

アービング：待てよ、ジョー、最高のものがある、これだ。

ジョー：何と！

アービング：すごい写真だろ！

ジョー：何という写真だ！

アービング：傑作だろう、ジョー？　「ボディガードにボディブロー！」。

この音変化に注意！

Look at ⇒ Lookat
[k]+母音で音がつながる

How about ⇒ How 'bout
あいまい母音は消える

that a ⇒ thada
母音+[t]+母音で、[t]は[d]に変わる

got a ⇒ gota
[t]+母音で音がつながる

● Is that a shot! は疑問文ではなく強調文。「すごい写真だろ！」というニュアンス。それにジョーは What a picture! と感嘆文で答えている。「何てすごい写真だ！」。『ローマの休日』は、What a movie!（何てすごい映画だ！）と言える。

JOE: Yeah. No, no, how about this? "Crowned Head" - huh?
how 'bout

IRV: Oh, I get it! That... Joe, you got... She's fair game, Joe. It's always open season on princesses. You must be out of your mind! ⇒ 218 p.277
mus' be outta

JOE: Yeah, I know, but, er, look I can't prevent you from selling the pictures, if you want to.
wanna
You'll get a good price for them.
for 'em

IRV: Yeah!

JOE: Are you going to the interview?
goin'

IRV: You going?

JOE: Yeah. Well, it's an assignment, isn't it?
Isn' I'

IRV: Yeah. I'll see you.

この表現に注目！

- Crowned Head は「王冠をいただいた頭」で、「戴冠式」と大げさに訳した。
- fair game は「格好の獲物」で、open season は「狩猟期」。「彼女は格好のネタで、王女様たちにはいつ食らいついてもいいんだ」というニュアンス。

ジョー：うん。それよりもこれは？ 「戴冠式」。どう？

アービング：それだ！　ジョー、うまい…。彼女は格好のネタだ、ジョー。いつ食らいついてもいいんだ。気が狂ったな！

ジョー：まあ、分かってるけど…いいか、君が写真を売るのは僕には止められない、君が売りたければ。いい値がつくぞ。

アービング：そうさ！

ジョー：記者会見には行くかい？

アービング：行くのか？

ジョー：ああ。まあ、仕事だからな。

アービング：そうだな。また後で。

この音変化に注意！

how about ⇒ how 'bout
あいまい母音は消える

must be ⇒ mus' be
[t]+[b]で、前の[t]が抜け落ちる

out of ⇒ outta
ofが入った語句では、[v]が抜け落ちて前の音とつながる

want to ⇒ wanna
want toはwannaに変わる

for them ⇒ for 'em
themは[th]がとれて'emや'mと弱くなる

going ⇒ goin'
-ingは弱くなって-in'と変わる

isn't it ⇒ isn' I'
[n]+[t]で[t]が抜け落ちてつながる

● I can't prevent you from... は「あなたが〜するのを私は止められない」。I can't prevent you from going there. と言えば、「あなたがそこへ行くのは止められない」。

Chapter 30

【イタリア大使館・応接室】

アン王女の記者会見

IRV: It ain't much, but it's home. ⇒ 95 p.259
ain' much

NOB: Ladies and Gentlemen, please approach.

M.C.: *Sua Altezza Reale* - Her Royal Highness.

AMB: Your Royal Highness - the ladies and gentlemen of the press.

M.C.: Ladies and gentlemen, Her Royal Highness will now answer your questions.

PRS: I believe at the outset, Your Highness, that I should express the pleasure of all of us at your recovery from the recent illness.
outsetjur　atjur

ANN: Thank you.

FRN: Does Your Highness believe that Federation would be a possible solution to Europe's economic problems?

ANN: I am in favor of any measure which would lead to closer cooperation in Europe. ⇒ 37 p.251
lea' to

この表現に注目！

●アービングは応接室を見て It ain't much, but it's home.（直訳：大したことはないが、家だね）と逆のことを言っている。ain't は amn't, aren't, isn't, haven't, hasn't の代わりに使われるが標準的ではない。I ain't going. と言えば「俺は行かないよ」。

アービング：狭いながらも楽しいわが家か。

職員：皆様、こちらへどうぞ。

式部官：*王女殿下です。*王女殿下です。

大使：王女殿下、こちらが記者の方々です。

式部官：皆様、王女陛下がご質問にお答えになります。

代表：王女殿下、まず初めに記者一同を代表して、先のご病気からのご回復をお喜び申し上げたいと思います。

アン：ありがとう。

記者A：欧州連合が経済問題の解決策だと王女殿下は思われますか?

アン：欧州諸国間の緊密化政策にはすべて賛成です。

この音変化に注意!

ain't much ⇒ ain' much
[t]+[m] で、前の [t] が抜け落ちる

outset,Your ⇒ outsetjur
[t]+[j] は [tʃ] に変わる

at your ⇒ atjur
[t]+[j] は [tʃ] に変わる

lead to ⇒ lea' to
有声音が、無声音の影響で無声音に変わる

● I am in favor of any measure... の in favor of は「賛成する、支持する」という意味。硬い表現なので日常会話ではあまり使われない。ふつうは、I agree with that.（それに賛成）と agree を使う。

ITA: And what, in the opinion of Your Highness, is the outlook for friendship among nations?

ANN: I have every faith in it - as I have faith in relations between people. ⇒ 54 p.253

JOE: May I say, speaking from my own press service, we believe that Your Highness' faith will not be unjustified.
thatjur no' be

ANN: I am so glad to hear you say it.
gla' to

SWE: Which of the cities visited did Your Highness enjoy the most?

GEN: "Each in its own way..."

ANN: Each in its own way was...unforgettable.
inits
It would be difficult to... Rome!
By all means, Rome! ⇒ 7 p.247
I will cherish my visit here in memory, as long as I live. ⇒ 62 p.255
longas

GER: Despite your indisposition, Your Highness?

ANN: Despite that.
Despi' that

M.C.: Photographs may now be taken.

この表現に注目！

● 「人と人との友情を信じるように」とアン王女は、ジョーに直接訴えかける。ジョーは we believe that Your Highness' faith will not be unjustified. と言って安心させる。２重否定に注目。王女が目を潤ませながら言う I am so glad to hear you say it. は情感あふれる。

記者B：それから諸国間の友好の見通しについて、王女殿下のご意見は？

アン：ことごとく友好を信じています、人と人との友情を信じるように。

ジョー：わが通信社を代表して申し上げます、王女殿下のご信頼が裏切られることはありません。

アン：それを伺って大変嬉しく思います。

記者C：王女殿下、ご訪問の地でどこが一番お気に召しましたか？

将軍：「いずこも…」

アン：いずこも、それぞれに忘れがたく決めかねますが…ローマです！
何と申してもローマです！
この地を訪れたことを思い出として一生大切にします。

記者D：ご病気にもかかわらずですか、王女殿下？

アン：そうです。

式部官：それでは写真撮影を許可します。

この音変化に注意！

that Your ⇒ thatjur
[t]+[j] は [tʃ] に変わる

not be ⇒ no' be
[t]+[b] で、前の [t] が抜け落ちる

glad to ⇒ gla' to
似た音が続けば、前の音が抜け落ちる

in its ⇒ inits
[n]+ 母音で音がつながる

long as ⇒ longas
[ŋ]+ 母音で音がつながる

Despite that ⇒ Despi' that
似た音が続けば、前の音が抜け落ちる

● 王女は無難な答えをやめて、Rome! By all means, Rome! I will cherish my visit here in memory, as long as I live. と万感の思いを込めた言葉を叫ぶ。
● cherish は「大切にする」「いつくしむ」。

AMB: Thank you, ladies and gentlemen.
Thank you very much.

ANN: I would now like to meet some of the ladies and gentlemen of the press.
woul' now

PRS: Hitchcock, *Chicago Daily News.*

ANN: I am so happy to see you, Mr. Hitchcock.

PRS: Thank you.

SCA: Scanziani *de La Suisse.*

KLI: Klinger, *Deutsche Presse Agentur.*

ANN: *Freut mich sehr.*

MON: Maurice Montaberis, *Le Figaro.*

GAL: *Sytske Galema of De Line, Amsterdam.*

ANN: *Dag, mevrouw.*

FER: Jacques Ferris, *Ici Paris.*

ANN: *Enchantee.*

GRS: Gross, *Davar Tel Aviv.*

CAV: Cortes Cavanillas, *ABC Madrid.*

この表現に注目！

● I am so happy to see you, Mr. Hitchcock. は、アン王女がこの人と以前会っていることを示す。初対面の場合は、I am so happy to meet you. と meet を使う。

大使：皆様方、どうも。
ありがとうございました。

アン：これから記者の方々とお近づきになりたいと思います。

代表：*シカゴ・デイリー・ニューズのヒッチコックです。*

アン：ここで、お目にかかれて嬉しく思います。

代表：ありがとうございます。

記者1：*ラ・スイスのスカンチアーニです。*

記者2：*ドイツ通信社のクリンガーです。*

アン：*光栄です。*

記者3：*ル・フィガロのモンタブレです。*

記者4：*デ・リニィのハレマです。*

アン：*こんにちは。*

記者5：*イシィ・パリのフェリエです。*

アン：*はじめまして。*

記者6：*ダバル・テルアビブのグロスです。*

記者7：*ABC マドリードのカバニリャスです。*

この音変化に注意！

would now ⇒ woul' now
[d]+[n] で、前の [d] が**抜け落ちる**

●記者会見のシーンでは本物の記者たちが出演した。それで、リアリティにあふれている。

ANN: *Encantande!*

LAM: Lampe, *New York Herald Tribune.*

ANN: Good afternoon.

LAM: Good afternoon.

IRV: Irving Radovich, *C.R. Photo Service.*

ANN: How **do you** do? ⇒ 32 p.250
dju

IRV: Er, may I present Your Highness with some commemorative photos of your **visit to** Rome?
presentjur s'm visi' to

ANN: Thank you so very much.

JOE: Joe Bradley, *American News Service.*

ANN: So happy, Mr. Bradley. ⇒ 138 p.266

MOR: Moriones, *La Vangurdia, Barcelona.*

HSE: Stephen House, *The London Exchange Telegraph.*

ANN: Good afternoon.

DEA: De Aldisio, *Agence Press.*

この表現に注目！

●アービングは、ここでアン王女に記念写真を渡す。写真を売らないことに決めて、ジョーとの友情を守った。

アン：*光栄です！*

記者8：*ニューヨーク・ヘラルド・トリビューンのランペです。*

アン：こんにちは。

記者8：こんにちは。

アービング：*CRフォトサービスのアービング・ラドビッチです。*

アン：はじめまして。

アービング：王女殿下にローマご訪問の記念写真を差し上げたいのですが。

アン：どうもありがとう。

ジョー：*アメリカン・ニュース・サービスのジョー・ブラッドレーです。*

アン：嬉しく思います、ブラッドレーさん。

記者I：*ラ・バンガルディアのモリオネスです。*

記者J：*ロンドン・エクスチェンジ・テレグラフのハウスです。*

アン：こんにちは。

記者K：*アジャンス・プレスのアルディシオです。*

この音変化に注意！

do you ⇒ dju
[d]+[j]は[ʤ]に変わる

present Your ⇒ presentjur
[t]+[j]は[tʃ]に変わる

some ⇒ s'm
someはs' mと弱くなる

visit to ⇒ visi' to
同じ音が続けば、前の音が抜け落ちる

●ジョーはどうにか微笑みながら自己紹介。アンは儀礼的に握手をしながらSo happy, Mr. Bradley.（嬉しく思います、ブラッドレーさん）。非常につらくて切ない最後の別れ。

Part 3

英会話でスグに使える！『ローマの休日』フレーズ230

各ページの誌面の例

実際に映画に登場したフレーズをピックアップして、和訳をつけています。和訳は、本文の対訳とはやや異なり、一般的な訳にしている場合があります。

フレーズの意味や使い方、関連表現を解説しています。応用力がついて表現の幅が広がります。

フレーズが登場するページを記載。すぐに、実際の映画のシーンが確認できます。

そのフレーズを話した人物名を記載。該当するシーンが思い出され、英語の正しい意味と使い方が身につきます。

6 Are you sure?
本気なの？
美容師 ⇒ p.136
★「本気なの？」「確かなの？」と相手の意向を確かめるフレーズ。sureで「確かに」。Are you certain? や Are you positive? とも言う。

7 By all means, Rome!
何と申してもローマです！
アン ⇒ p.236
★ by all means は成句で「何と言っても」「何としてでも」「もちろん」「ぜひどうぞ」「必ず」「ぜひ」といった意味。意志・許可を強調したフレーズ。

8 Can I keep just one light on?
電気を1つ点けたままでもいいかしら？
アン ⇒ p.50
★ Can I...? で気軽にお願いができる。Can I keep this? なら「これをもらってもいいですか？」。

9 Can you lend me some money?
お金をいくらか貸してくださる？
アン ⇒ p.130
★疑問文でも some が使える。この some は「いくらか」。Can you lend me any money? なら「お金をいくらでもいいので貸してださる？」。

10 Come on.
さあ、早く。
ジョー ⇒ p.62
★相手に行動を促すフレーズ。他に「さあ、さあ」「何をしている」などの意味にもなる。Come on. Let's go.（さあ、行こう）などと使う。

11 Come with me!
ついておいで！
ジョー ⇒ p.186
★直訳は「一緒に来て」。相手をどこかに連れていくときのフレーズ。come は「近づいてくる」で、go は「離れていく」。この場合、Go with me. は誤り。

12 Did I miss anything?
何か見逃したことは？
アービング ⇒ p.202
★ miss は「逃がす」「見逃す」。You can't miss it. なら「すぐに分かりますよ」（道案内）。

この映画1本だけで英会話の基本フレーズを身につけることができます。古典でも英語は決して古びず、**ていねいできれいな表現ばかりです。**その中からスグに使えるフレーズを230厳選しました。ABC順で、セリフの話者とページ数を明記しています（複数登場する場合は1例のみ）。**「どのシーンで誰がどんなふうに話しているか」を思い浮かべて学習すると効果的です。**英語の正しい意味と使い方がイメージとして定着します。また、ミニ解説の関連フレーズも覚えると、さらに表現の幅が広がります。

1 All my apologies.

詫びるよ。　支局長 ⇒ p.88

★「心よりお詫びします」という謝りのフレーズ。All は強調。My apologies. だけでもいい。My mistake, my apologies.（私のミスです、お詫びします）などと使う。

2 Am I glad to see you!

会えてとても嬉しいよ！　ジョー ⇒ p.158

★ I am の順序を変えて、意味を強調。I'm so glad to see you! とも言える。

3 And you are...?

それでお名前は…？　アン ⇒ p.116

★相手の名前を聞く自然な表現。I'm Eiji. And you are...? と自分の名前を言ってから聞く。

4 Anything you wish.

お望みなら何でも。　ジョー ⇒ p.194

★ I/We'll do anything you wish. の略。この wish は「望む」「願う」。I wish you good luck. と言えば「幸運を祈ります」。

5 Are you ready?

用意はいい？　ジョー ⇒ p.178

★ ready で「用意・準備ができた」。Are you ready to go? なら「出かける準備はいい？」。

6 Are you sure?

本気なの？ 美容師 ⇒p.136

★「本気なの？」「確かなの？」と相手の意向を確かめるフレーズ。sureで「確かに」。Are you certain? や Are you positive? とも言う。

7 By all means, Rome!

何と申してもローマです！ アン ⇒p.236

★ by all means は成句で「何と言っても」「何としてでも」「もちろん」「ぜひどうぞ」「必ず」「ぜひ」といった意味。意志・許可を強調したフレーズ。

8 Can I keep just one light on?

電気を1つ点けたままでもいいかしら？ アン ⇒p.50

★ Can I...? で気軽にお願いができる。Can I keep this? なら「これをもらってもいいですか？」。

9 Can you lend me some money?

お金をいくらか貸してくださる？ アン ⇒p.130

★疑問文でも some が使える。この some は「いくらか」。Can you lend me any money? なら「お金をいくらでもいいので貸してださる？」。

10 Come on.

さあ、早く。 ジョー ⇒p.62

★相手に行動を促すフレーズ。他に「さあ、さあ」「何をしている」などの意味にもなる。Come on. Let's go.（さあ、行こう）などと使う。

11 Come with me!

ついておいで！ ジョー ⇒p.186

★直訳は「一緒に来て」。相手をどこかに連れていくときのフレーズ。come は「近づいてくる」で、go は「離れていく」。この場合、Go with me. は誤り。

12 Did I miss anything?

何か見逃したことは？ アービング ⇒p.202

★ miss は「逃がす」「見逃す」。You can't miss it. なら「すぐに分かりますよ」（道案内）。

13 Do it all the time.

いつもやっていることさ。 ジョー ⇒ p.128

★文頭に I が省略。all the time は「いつも」。It happens all the time. なら「よくあることさ」。

14 Don't change the subject!

話題を変えるな！ 支局長 ⇒ p.224

★この場合は「話をそらすな！」といったニュアンス。Let's change the subject. なら「話題を変えよう」。

15 Don't disturb yourself.

いや、かまうな。 支局長 ⇒ p.90

★「どうぞおかまいなく」。という意味の定番フレーズ。disturb は「迷惑をかける」。disturb oneself で「わざわざ～する」。Don't bother. とも言う。

16 Don't try.

無理しなくても。 ジョー ⇒ p.214

★相手の言動を制するフレーズ。try は「～しようと試みる」「努力する」。映画では、Don't try to think of some words. の略。Don't try to say you're sorry. なら「無理して謝らなくても」。

17 Don't worry.

ご心配なく。 アン ⇒ p.48

★「心配しないで・気にしないで」という意味の定番フレーズ。Don't worry about that. なら「そのことなら気にしないで」。Don't worry about me. と言えば「私のことは気にしないで」。

18 Don't you have to work?

お仕事はないの？ アン ⇒ p.152

★ Don't you...? で「～しないのか」⇒「～するでしょうに」。ニュアンスは「仕事する必要があると思っていたのに、必要はないの？」。Don't you know? なら（知ってると思っていたのに）「知らないの？」。

19 Don't you remember?

覚えてないのか？ ジョー ⇒ p.222

★この Don't you...? は、イライラしたり不満があったりしたときに使う。「何で覚えてないんだよ」といったニュアンス。Don't you dare do that again. なら「もう二度とするなよ」。

20 Everything will be all right.

それで万事オーケー。 ジョー ⇒p.80

★ will は「～だろう」で話し手の判断。周りの状況から確かなときは Everything's going to be all right. と言う。

21 Get yourself some coffee.

コーヒーでも飲みなさい。 ジョー ⇒p.62

★ Get yourself で「自分で～を手に入れなさい」。I'll get you some coffee. なら「コーヒーをもってきてあげよう」。

22 Give me a little slack, will you?

ちょっと休ませてくれ。 アービング ⇒p.120

★ slack は「休み」。Give me a break, will you? なら「かんべんしてよ」。この break は chance のこと。

23 Go right ahead.

どうぞ、どうぞ。 ジョー ⇒p.200

★相手の質問に対する快諾。right は強調。Go ahead. とも言う。よく Sure. Go ahead. というふうに使われる。

24 Good luck with the big development.

大口の開発、かんばって。 アン ⇒p.196

★ Good luck with で「～をがんばって」。Good luck with your work. なら「お仕事がんばって」。

25 Have you got your lighter?

ライターを持っているか? ジョー ⇒p.170

★ Have you got はイギリス英語。アメリカ英語では Do you have と言う。I've got it. なら「持っている」「承知した」。

26 Have you searched the grounds?

敷地内をくまなく捜したのか? 大使 ⇒p.82

★ Have you searched で「捜索は完了したのか」。the grounds は「屋敷一帯」「敷地内一帯」を指す。

27 Here we go now.

さあ行くぞ。 アービング ⇒ p.120

★何かを一緒に始めるときに言う。「さあ始めるぞ」「さあやるぞ」といったニュアンス。Here we go. とも言う。Here you go. なら「はい、どうぞ」で、Here you are. のカジュアル版。

28 Here's to his health.

お父さんの健康を祝して。 ジョー ⇒ p.158

★ Here's to で「〜に乾杯」。Here's to you. Here's hoping for the best.(君に乾杯だ。いいことがありますように。アービング⇒ p.164)。

29 Here's your drink right now.

そう、君の飲み物だよ。 ジョー ⇒ p.164

★この場合は、飲み物が来たという意味。普通、Here's your drink. と言えば「はい、お飲み物です」。飲み物を差し出しながら言う。Here's your coffee. なら「はい、コーヒーです」。

30 How about some breakfast?

朝食でもどう? ジョー ⇒ p.126

★ How about...? は気軽に提案するときのフレーズ。How about a drink? なら「一杯どう?」。

31 How about you?

君はどう? ジョー ⇒ p.178

★「それで、あなたはどうですか?」と相手のことを聞くフレーズ。I'm just fine. How about you?(元気です。あなたは?)、I'm from Japan. How about you?(日本から来ました。あなたは?)などと使う。

32 How do you do?

はじめまして。 アン ⇒ p.44

★初対面でのフォーマルなあいさつ。普通は、Nice to meet you. や I'm glad to know you. などと言う。

33 How much have you got?

(お金を)いくらお持ちなの? アン ⇒ p.130

★ How much money do you have? と同じ意味。have you got はイギリス英語。

34 How much would it be worth?

価値はどれくらいですか？　ジョー ⇒p.100

★ worth は「値打ちがある」「金額の価値がある」。would は「～でしょう」。

35 How would you like to make some money?

金儲けをするのはいかがかな？　ジョー ⇒p.108

★ How would you like to...?（～するのはいかがでしょうか？）は、ていねいな聞き方。How would you like to pay? なら「お支払いはどうなさいますか？」。

36 I almost forgot.

忘れるところでした。　アン ⇒p.130

★ almost は「ほとんど」「もう少しで」。I almost got stumbled. なら「もう少しでころぶところだった」。I forgot. なら「忘れました」。

37 I am in favor of any measure.

どんな方策にも賛成です。　アン ⇒p.234

★ in favor of で「～に賛成して」「～の方を支持して」。I'm in favor of that. なら「それに賛成」。

38 I can take a hint.

そこまでしなくても分かるよ。　アービング ⇒p.162

★ take a hint は相手の言動などから「何かをほのめかされて、それと感づく」「気が利く」。He can't take a hint. なら「彼は鈍感だよ」「彼は空気が読めないよ」。

39 I can't come now.

今は行けないよ。　アービング ⇒p.120

★ come は「相手の所へ行く」。go は「相手から離れていく」の意味で、この場合 I can't go now. と言うのは間違い。

40 I can't talk over the telephone.

電話では話せない。　ジョー ⇒p.120

★ talk over the telephone で「電話で話す」。talk over the phone とも言う。I'll tell you, but not over the phone.（教えるけど、電話じゃダメ）といった使い方もある。

41 I could earn my living at it.

それで食べていけるくらい。　　アン ⇒ p.210

★ could は「その気になればできる」といったニュアンス。I could come tomorrow. なら「明日は行こうと思えば行けるよ」。earn my living は「生計を立てる」。

42 I couldn't agree with you more.

君に大賛成。　　ジョー ⇒ p.62

★直訳は「君にこれ以上賛成することはできないだろう」。I couldn't be better. なら「これ以上はよくならないだろう」⇒「絶好調です」。

43 I didn't mean a school schedule.

学校のスケジュールのことじゃないんだ。　　ジョー ⇒ p.178

★ didn't mean で「～の意味ではなかった」。この後にジョーは I meant a fun schedule.（遊びのスケジュールのことだよ）と言い直す。

44 I don't care if it spilled or not!

こぼれても、こぼれてなくても、どうでもいい！　　アン ⇒ p.44

★ I don't care if で、if 以下のことが「どうでも気にしない」。単に I don't care. と言うと「どうだっていい」。

45 I don't feel any different.

何も違いを感じないわ。　　アン ⇒ p.50

★ feel different で「違いを感じる」。any は「何も」。I don't feel the difference. と言えば「その違いは感じない」。

46 I don't know how much I need.

（自分で）いくら必要か分からないの。　　アン ⇒ p.130

★ I don't know how much money I need. のこと。I don't know how. だけなら「方法が分からないの」。

47 I don't know how to say goodbye.

何とお別れを言えばいいか分からないの。　　アン ⇒ p.214

★「お別れの言葉が見つからないわ」といったニュアンス。I don't know how to say that in English. なら「それを英語で何と言うか分かりません」。

48 I don't seem to mind.

私は気にはならないみたい。　アン ⇒ p.78

★ don't seem toで「～しないように見える・思える」。mind は「気にする」。You don't seem to care. なら「心配していないみたいね」。

49 I got to get up early.

早起きしないと。　アービング ⇒ p.56

★ I've got to の略式で、I really have to（必ず～しなくては）のこと。I got to go. なら「行かなくちゃ」。

50 I got to work.

仕事しないと。　アービング ⇒ p.180

★ I've got to の略式で「必ず～しなくては」。I got to get there right away. なら「すぐにそこに行かなくちゃ」。

51 I guess we'd better get out of here.

ここを引き上げたほうがよさそうだ。　ジョー ⇒ p.206

★ get out of here は「ここから離れる」だが、命令形では「ここから出ていけ」や「冗談でしょう」「本当なの?」といった意味にもなる。

52 I hate all my underwear, too.

私の下着もみんな大嫌い。　アン ⇒ p.38

★ hate は「大嫌い」。I hate to tell you this, but... なら「申し上げにくいのですが…」。I hate to trouble you, but... なら「ご迷惑をおかけしてすみませんが…」。

53 I have a confession to make.

告白することがあるの。　アン ⇒ p.148

★ make a confession to a person は「人に告白・白状する」。I have something to confess. とも言う。

54 I have every faith in it.

ことごとく信頼しています。　アン ⇒ p.236

★ faith は「信用」「信頼」。I have faith in you. なら「あなたのことを信頼しています」。

55 I have to go now.

もう行かなくては。 アン ⇒ p.210

★ have to は「嫌だけど、～しなくては」というニュアンスがある。強引な感じはせず、少しやらわかに響く。I have to be going. と言えば、さらにソフトな感じ。

56 I know just the place.

いい店を知ってる。 ジョー ⇒ p.152

★ I know で「～を知っている」。この place は「店」。I know this nice restaurant. なら「こんないいレストランを知っています」。I know. とだけ言えば「分かっています」。

57 I meant a fun schedule.

遊びのスケジュールのことだよ。 ジョー ⇒ p.178

★ meant は mean の過去形で、「～の意味だった」。自分の言った意図を言いなおすときのフレーズ。That's what I meant to say. なら「言いたかったのは、それ」。

58 I must go and get dressed.

服を着替えてこないと。 アン ⇒ p.212

★ I must は、自分に対する義務や強制といったニュアンスがある。I must lose some weight. と言えば「絶対体重を減らさなくちゃ」。go (and) get dressed は「きちんとした服に着替えてくる」。I'll go get changed. と言えば「着替えてくるよ」。

59 I only waited to say goodbye.

お別れを申し上げようと待っていただけなの。 アン ⇒ p.126

★ I only waited で「待っていただけ」。to say goodbye で「さようならを言うために」。

60 I think you'd better sit up.

君は起きたほうがいいと思うよ。 ジョー ⇒ p.60

★ I think があるとやわらかい感じ。you'd better は「～しないと困ったことになる」というニュアンスがあり、相手に強い勧告や警告をするときに使う。

61 I want you to shake on that.

約束の握手をしてください。 ジョー ⇒ p.102

★ I want you to は「あなたにやってほしい」とストレートな感じ。I want you to come with me. と言えば「一緒に来てほしい」。shake on that/it/the deal で「合意のしるしに握手する」。

62 I will cherish my visit here in memory, as long as I live.

この地を訪れたことを思い出として一生大切にします。 アン ⇒p.236

★ will は強い意志を表す。cherish は「大切にする」「心にいだく」。as long as I live は「私が生きている限り」。海外旅行などで、そのまま使えるフレーズ。

63 I wish I could.

そうできればいいのですが。 アン ⇒p.142

★相手の誘いなどをやんわりと断る定番表現。I wish I could join you. なら「ご一緒できればいいのですが」。

64 I'd better get a taxi and go back.

もうタクシーに乗って帰らなければ。 アン ⇒p.150

★ I'd better は自分に対して「～しないと困ったことになる」というニュアンス。I'd better be going. なら「そろそろ行ったほうがいいので」。I must よりはソフトな感じ。

65 I won't hold you to it.

約束を守ってとは言わないから。 アン ⇒p.184

★ hold you to it で「あなたにそれを守らせる」。it は映画では「結婚の話」。I have held him to it. なら「彼に守らせるようにしたの」。

66 I'd like to sit at a sidewalk cafe.

カフェテラスに座れたらいいのですが。 アン ⇒p.150

★ I'd like to は「～したいのですが」と願望を優しく伝えるフレーズ。I'd like to check in. なら「チェックインしたいのですが」。

67 If you don't mind my saying so,

言わせていただくなら、 アン ⇒p.198

★これから言うことを相手から許してもらうフレーズ。直訳は「私がこう言うのをあなたが気にしないなら」。If you don't mind me saying so, とも言う。

68 I'll arrange for it to be sent back to you.

これを送り返すように手配します。 アン ⇒p.130

★ I'll で「その場で思いついたことをする」。arrange for で「手配する」。I'll arrange for that right away. なら「すぐに手配します」。

69 I'll be dead before he gets here.

先生がいらっしゃるころには私は死んでいるわ。 アン ⇒ p.46

★ before he gets here は未来のことだが、現在形を使う。I'll be there before he arrives.（彼が到着する前には、私はそこに行っています）などと使う。

70 I'll be there.

そこに行っています。 美容師 ⇒ p.142

★ある場所に行くというときのフレーズ。この場合、I'll go there. は誤り。Are you going to be there? なら「あなたも行くの？」。

71 I'll call you tonight.

今晩電話するよ。 アービング ⇒ p.180

★ I'll give you a call tonight. とも言う。「電話をかける」は call または make a call で、後者は形容詞がつけられるので便利。Let me make a quick call.（ちょっと電話させて）などと使える。

72 I'll drop you off.

途中まで送っていこう。 ジョー ⇒ p.64

★ drop off は「車から降ろす」だが、ここでは「車に乗せて送っていって途中で降ろすこと」。You can drop me off here. ならタクシーの運転手などに「ここで降ろしてください」。

73 I'll give it back.

返すから。 ジョー ⇒ p.140

★ give back で「返す」。I'll give the keys back to you.（鍵を君に返すよ）といった使い方をする。

74 I'll pick this one up.

ここは僕が払うよ。 ジョー ⇒ p.178

★この pick up は「勘定書きを手に取る」⇒「勘定を支払う」。this one は「この勘定」。I'll pick up the tab. とも言う。tab は「勘定書き」。

75 I'll see you later.

じゃ、また後で。 アービング ⇒ p.194

★ I'll see you.（アービング ⇒ p.232）や I'll see you around.（アービング⇒ p.162）とも言う。カジュアルに言うなら See you. や See you later.

76 I'll send for him.

先生を呼びに行かせます。 伯爵夫人 ⇒ p.44

★ send for で「～を呼びに行かせる」。Shall I send for a doctor? なら「医者を呼びに行かせましょうか?」。

77 I'm a good liar too, aren't I?

私もウソが上手でしょ? アン ⇒ p.186

★ aren't は am not の短縮形。amn't の [m] が消えて、その補足として [a] が長くなったもの。I'm being polite, aren't I? なら「私、お行儀よくしてるでしょ?」。

78 I'm afraid I don't know anybody by that name.

あいにく、そんな名前の人は知らない。 ジョー ⇒ p.114

★ I'm afraid は「あいにく」「残念ながら」で、後に続く言葉をやわらげる。anybody by that name は「そんな名前の人」。I only know her by name. なら「彼女のことは名前でしか知らない」。

79 I'm busy.

忙しいんだ。 アービング ⇒ p.120

★ストレートな表現。I'm kind of busy. と言えば「ちょっと忙しいんだ」で、少しやわらかく響く。

80 I'm just being very happy.

ただ、とてもいい気分なの。 アン ⇒ p.66

★ being は be 動詞の進行形で、現在続いている状態を表す。I was being polite. なら「あのときは一時的にお行儀よくしていたのよ」といったニュアンス。

81 I'm not drunk at all.

私は全然酔ってないわ。 アン ⇒ p.66

★ drunk で「酔っ払った」。not at all で「全然～でない」。I'm not worried at all. なら「心配なんか全然していません」。

82 I'm not two hundred years old.

私は 200 歳じゃないのよ。 アン ⇒ p.38

★「私は年寄りではない」を大げさに言ったフレーズ。I'm not that old. なら「私はそんなに年寄りじゃない」。

83 I'm perfectly all right.

私はまったく大丈夫です。 将軍 ⇒ p.50

★ perfectlyは「完全に」「申し分なく」。That's perfectly all right. なら（謝罪などに対して）「なんでもないですよ」。

84 I'm quite sure.

いたって本気よ。 アン ⇒ p.136

★直訳は「はっきりと確信しています」。I'm sure. に quite（まったく）がついて強調。

85 I'm so glad that you could come.

おいでいただき、とても嬉しく思います。 アン ⇒ p.34

★とてもていねいな言い方。普通ならI'm so glad you came.

86 I'm sorry, I haven't time.

残念ですが、時間がないの。 アン ⇒ p.126

★ I'm sorryは「残念ですが」「ごめんなさい」。I'm sorry I'm late.（遅れてごめんなさい）などと使う。I haven'tはイギリス英語で、I don't haveはアメリカ英語。

87 I'm sorry, it was just a joke!

ごめん、ただの冗談さ！ ジョー ⇒ p.188

★「ただの冗談だったんだ」はI was just kidding. とも言う。No kidding? なら「まさか」。

88 I'm terribly sorry to mention it,

こんなこと言って大変申し訳ないのですが、 アン ⇒ p.76

★これから言うことを遠慮するフレーズ。かなりていねいな表現。普通は、I'm sorry to say this, but it's true.（言うのは心苦しいが、本当なんだ）といった使い方をする。

89 I'm too tired to sleep.

疲れすぎて眠れないわ。 アン ⇒ p.40

★ too...toの表現で「あまりに〜しすぎて〜できない」。I'm too excited to sleep. なら「興奮しすぎて眠れない」。

90 I'm very glad to know you.

お知り合いになれてとても嬉しいです。 ジョー ⇒ p.200

★初対面でのあいさつ。to know youで「お知り合いになれて」。I'm very glad to meet you.やIt's very nice to meet you.とも言う。

91 I'm very ashamed.

私とても恥ずかしいですわ。 アン ⇒ p.48

★ashamedは「恥ずかしい」。I'm ashamed of having said that.なら「そう言ってしまって恥ずかしい」。

92 Is that a shot!

傑作だろう！ アービング ⇒ p.230

★Is that...!で「これは素晴らしい～だろう！」と同意を求めるフレーズ。このshotは「写真」。Is that something!なら「大したもんだろう！」。

93 Is that clear?

分かったか？ ジョー ⇒ p.78

★直訳は「それがはっきりしているか？」。とてもストレートな表現。主に目下の人に対して使う。Did I make myself clear?（私の言った意味、分かった？）などとも言う。

94 Is there anything you want?

何かご入り用で？ ジョー ⇒ p.112

★Is there anything that you want?のthatが省略。カジュアルにAnything you want?と言う。Anything else?なら、「他にご入り用は？」「他にご注文は？」。

95 It ain't much, but it's home.

狭いながらも楽しいわが家。 アービング ⇒ p.234

★定番フレーズ。ain'tは、ここではisn'tの代わりで正式ではない。他に、am not、are not、have not、has notの代わりに使われる。You ain't seen nothing yet.と言えば「あなたはまだ何も見ていない」⇒「お楽しみはこれから」。

96 It all adds up!

すべてつじつまが合う！ 支局長 ⇒ p.220

★add upは「計算が合う」⇒「つじつまが合う」。It doesn't add up.なら「つじつまが合わない」。

97 It must be fun to live in a place like this.

こんな場所で暮らすのはきっと楽しいでしょうね。 アン ⇒ p.126

★It は to 以下を指す。must be は「きっと～でしょう」。It must be great to be in love. なら「恋することは素晴らしいことでしょうね」。

98 It was very considerate of you.

とても思いやりのある方ね。 アン ⇒ p.128

★It is considerate of you to で「～するとは思いやりがある」。上品な表現。この場合、to let me sleep in your bed. といったフレーズが省略。That was very considerate of you. と言えば完全な文になる。

99 It was wonderful.

素晴らしかった。 アン ⇒ p.114

★この It は映画では「見た夢」を指す。相手の言動などが素晴らしかったなら That was wonderful. と言う。

100 It works out fine for me.

僕には好都合だ。 ジョー ⇒ p.56

★ work out (fine) for は「～にとっていい結果となる」⇒「～にとって都合がいい」。Everything's going to work out fine. なら「すべてうまくいくよ」。

101 It's a deal.

それで取引しましょう。 ジョー ⇒ p.104

★「これで取引はまとまった」と言うときのフレーズ。この deal は「取引」「取り決め」。It's a done deal. と言えば「すでに決まったことだ」「終わった話だ」。

102 It's got to have pictures.

写真がどうしても要るんだ。 ジョー ⇒ p.122

★ It's got to は口語表現で、It has got to の略。It must のような強い意味。I've got to go. なら「どうしても行かなくては」。

103 It's just what I wanted.

まさにこうしたかったの。 アン ⇒ p.140

★ what I wanted は「私が望んでいたもの」。It's just what the doctor ordered. と言えば「まさに医者が命じたもの」⇒「まさに必要なものだ」「願ってもないものだ」。

104 It's nerves.

神経の高ぶりです。 伯爵夫人 ⇒p.46

★このnervesは「神経質過敏」。You have some nerve.と単数形なら「ずうずうしいヤツ」や「あつかましいヤツ」。

105 I've got them right here.

ちょうどここに持っています。 ジョー ⇒p.90

★I've gotはI have gotの略で、I haveのカジュアルな表現。I've got something for you.なら「君に渡すものがある」。right hereは「ちょうどここに」。

106 I've heard of a wonderful place for dancing on a boat.

船の上で踊れる素敵な場所があるって聞いたわ。 アン ⇒p.194

★I've heard ofで「～のことを人づてに聞いたことがある」。ofがなければ「直接聞いたことがある」。I've heard a lot about you.なら「おうわさはかねがね伺っております」。

107 I've never been alone with a man before.

私はこれまで男の人と2人きりになったことはないの。 アン ⇒p.78

★I've never beenで「経験」を表し「これまで～したことがない」。I've never been there.なら「そこには行ったことがありません」。be alone with a manは「男の人と2人きりになる」。

108 I spent the night here with you.

ここであなたと一夜を共にしたのね。 アン ⇒p.116

★spent the night withで「～と一夜を過ごした」。I spent the night at a friend's house.なら「友だちの家で一晩過ごした」。I slept over a friend's house.（友だちの家に泊まった）とも言える。

109 Leave me!

放っておいて！ アン ⇒p.46

★Leave me alone!（1人にして！）とも言う。Let me go!なら「放して！」。

110 Let me go!

放して！ アン ⇒p.204

★Let meは「私の思いどおりにさせて」というニュアンス。Let me help you.と言えば「お手伝いさせて」⇒「手伝いますよ」。

111 Let me take over.

僕に代わって。 ジョー ⇒ p.182

★ take overで「引き継ぐ」。車の運転や仕事などに対して使う。Let me take over the wheel. なら「運転を代わるよ」。

112 Let's have a drink at the bar.

バーで一杯飲もう。 ジョー ⇒ p.198

★ have a drink で「一杯を楽しんで飲む」。この drink は「お酒」。Let's go get a drink. と言えば「飲みに行こうよ」。

113 Let's see you do it.

やってごらん。／やってみて。 ジョー ⇒ p.188

アン ⇒ p.188

★ see you doで「あなたが～するのを見る」。Let's hear you sing it. なら「あなたが歌うのを聞いてみよう」。

114 Life isn't always what one likes, is it?

人生はままならないからね、そうだろ？ ジョー ⇒ p.208

★ isn't alwaysで「いつも～ばかりではない」。この one は「人」のこと。「人」を指す you を使って、Life isn't always what you like, you know. などとも言える。

115 Like what?

例えば？ ジョー ⇒ p.150

★相手に具体的な例を言ってもらうフレーズ。Such as? や For example? とも言う。また、For instance? と言ってもいい（ジョー⇒ P.156）。

116 Look.

いいか。 ジョー ⇒ p.62

★相手の注意を引く言葉。「よく見て」という意味から派生。ジョーはよく使っている。Look, you take the cab.（さあ、君がタクシーに乗って）、Look, this is Joe.（いいか、ジョーだ）。

117 Look out!

危ない！ ジョー ⇒ p.190

★車が来ているなど差し迫った危険などに「気をつけて」。Be careful. なら「これから先のことに気をつけて」。

118 Looks like I'll have to move.

どうやら引っ越さないといけないな。 ジョー ⇒ p.210

★文頭にItが省略。Looks likeで「～のような状況に見える」。Looks like I won't be able to make it tonight. なら「今夜は行けそうにないんだ」。

119 Make a wish?

願い事した？ ジョー ⇒ p.192

★この場合は文頭にDid youが省略。状況によって「願い事する？」の意味でも使える。Make a wish before you blow out the candles. なら「ロウソクを吹き消す前に願い事をして」。

120 May I have a little more wine?

もう少しワインをいただけますか？ アン ⇒ p.210

★ May I...? は相手から許可を得るときのへりくだった表現。普通はCan I...? を使う。Can I have a little more wine, (please)?

121 May I have some?

少しいただけますか？ アン ⇒ p.78

★ have some more と言えば「もっともらう」。飲み物のお代わりなどはCan I have some more, please? で頼める。

122 Maybe another hour.

あと1時間くらいなら。 アン ⇒ p.150

★ maybeは「かもしれない」。かなり低い可能性を表す。another hourで「あと1時間」。

123 Mr. Hennessey has been looking for you.

支局長がずっと捜してたわ。 秘書 ⇒ p.86

★ has beenで「ずっと～していた」。looking forで「～を捜して・探している」。買い物で、お店の人にI'm looking for bags. と言えば「バッグを探しているのですが」。

124 Never carry money.

お金は持ち歩かないの。 アン ⇒ p.62

★文頭にIが省略。このcarryは「身につけている」「持ち歩く」。I hate to carry an umbrella. と言えば「傘を持ち歩くのはイヤだ」。

125 Never mind I got a bad sprain.

捻挫なんかどうでもいいよ。　アービング ⇒ p.166

★ Never mind は「気にするな」「どうでもいい」。相手に Don't mind. と言うのは誤りで、I don't mind.（気にしません）のように自分のことなら正しい。

126 No, nothing like that.

いえ、そんなことじゃないの。　アン ⇒ p.148

★ that は相手が今言ったことを指す。映画では Trouble with the teacher?（先生とのトラブル？）。It's nothing like you think. と言えば「あなたが考えているようなことじゃないの」。

127 Nothing to it.

何てことないわ。　アン ⇒ p.176

★ There's nothing to it. の略。That's nothing. なら（終わったことに対して）「大したことないよ」。It's nothing. なら（けんそんして）「それほどでもないよ」。

128 One o'clock sharp, lunch with the Foreign Ministry.

1 時ちょうど、外務省の方々と昼食。　伯爵夫人 ⇒ p.42

★「ちょうど」の sharp の使い方に注意。Just one o'clock とは言わない。just は数字を形容しないため。I'll be there, one o'clock sharp. なら「1 時ちょうどに行くから」。

129 People who can't handle liquor shouldn't drink it.

お酒に弱い人は飲んではいけないよ。　ジョー ⇒ p.60

★ can't handle liquor で「お酒に弱い」。I can't handle hot food. なら「熱い食べ物は苦手」⇒「猫舌です」。

130 Please let me die in peace!

お願い、安らかに死なせて！　アン ⇒ p.44

★ let me は「私の望むようにさせて」というニュアンス。die in peace は「安らかに死ぬ」。

131 Please put on your slippers.

スリッパをお履きになって。 伯爵夫人 ⇒p.38

★put onは「身につける」で、動作を表す。wearは着ている状態を表す。Please put on a jacket.なら「上着を着てください」。

132 Precisely.

そのとおりです。 伯爵夫人 ⇒p.42

★同意の返事。Exactly.とも言う。

133 Quite safe for me to sit up?

起きても大丈夫? アン ⇒p.114

★文頭にIs itが省略。for meは「私が」で意味上の主語。sit upは「寝ていて起き直る」。Is it okay for me to sit here?なら「私がここに座ってもいいですか?」。

134 Save that till later.

それは後にしろ。 ジョー ⇒p.222

★saveは「取っておく」。till laterで「後まで」。Save me a seat, would you?なら「席を取っておいてくれる?」。

135 Seemed the thing to do.

そうすべきって感じで。 ジョー ⇒p.198

★文頭にItが省略。seemは「～のように見える・思われる」。Seemed the right thing to do.なら「正しい行動のように思えた」。

136 Shall I cook something?

何か料理しましょうか? アン ⇒p.208

★Shall I...?（～いたしましょうか?）はイギリス英語で、ていねいに申し出るフレーズ。cookは「加熱して料理する」。過熱しないで作る場合はfixを使う。Shall I fix you some sandwiches?（サンドイッチを作りましょうか?）。

137 Small world.

世間は狭いね。 ジョー ⇒p.130

★It's a small world.の略。文の中では冠詞aがつくことに注意。What a coincidence!なら「何と偶然の一致!」。

138 So happy.

とても嬉しく思います。 アン ⇒ p.44

★ I'm so happy to meet you.（お会いできてとても嬉しく思います）の略。初対面で使う。2 度目以降は、I'm so happy to see you. と言う。ラストの記者会見でアンは I'm so happy to see you here.（⇒ p.240）。

139 Stay calm.

落ち着いて。 ジョー ⇒ p.72

★ジョーは Stay *calmo.* とイタリア語も交えていたが、*calmo* は calm のこと。Stay silent. なら「黙っていて」。

140 Stop at the next corner, please.

次の角で止めてください。 アン ⇒ p.214

★タクシーなどに乗ったときに、このまま使える。「ここで結構です」なら This'll be fine. と言う。

141 Stretch my legs here.

ここで一服だ。 アービング ⇒ p.178

★文頭に I'll が省略。stretch one's legs は（長い間座っていて）「足を伸ばす」「足をほぐす」。ここでは「くつろぐ」の意味。

142 Suits you.

君に似合うよ。 ジョー ⇒ p.206

★文頭に It が省略。この suit は「似合う」。It suits you well. とも言う。別の言い方では、Looks great on you.（君にとてもよく似合うよ）。

143 Sure.

いいよ。／もちろん。 ジョー ⇒ p.88 ⇒ p.188

★肯定や快諾のカジュアル表現。Certainly. や Of course. とも言うが、これらのほうがていねい。

144 Take a good look at her.

彼女をよく見ておけ。 支局長 ⇒ p.96

★ take a look at は、look at と同じ。だが、take a good look at とすると動作を形容することができるので便利。Take a close look at this. なら「これを近くで見て」。

145 Take it easy.

落ち着け。 ジョー ⇒ p.164

★相手をなだめるときの表現。他に、「気楽にね」や「さよなら」といった意味もある。

146 Take her wherever she wants to go.

この娘が行きたい所へ連れていってくれ。 ジョー ⇒ p.70

★ wherever は「どこであろうとも」。I carry my smartphone wherever I go. と言えば「どこへ行くにも、スマホと一緒」。

147 Tell you what.

こうしよう。 ジョー ⇒ p.150

★ I'll tell you what. の略。「こうしようよ」「ちょっと聞いてよ」などと相手の注意をひく表現。I know what. とも言う。この what は something の意味。

148 Thank you for letting me sleep in your bed.

あなたのベッドで寝させてくださってありがとう。 アン ⇒ p.128

★ Thank you for letting me で「私に～させてくれてありがとう」。Thank you for letting me know about it. なら「それを知らせてくれてありがとう」。

149 Thanks a lot.

どうもありがとう。 ジョー ⇒ p.56

★ a lot は「たくさん」。Thanks a million. なら「100万回ありがとう」⇒「本当にありがとう」で、「ものすごく感謝している」というニュアンス。

150 That does it.

これでよし。 アービング ⇒ p.120

★直訳は「それで用が足りる」。「これでおしまい」「これででき上がり」「もう十分」と言った意味。他に、「それはひどすぎる」「もうがまんができない」「もうたくさんだ」といった意味にもなる。

151 That's a nice-looking camera you have there.

おや、いいカメラを持ってるね。 ジョー ⇒ p.138

★ nice-looking は「美しい」「きれいな」。「男性の顔立ちがいい」（ハンサム）の意味もある。good-looking とも言う。

152 That's all there is to it.

それだけのことですよ。 ジョー ⇒ p.224

★直訳は「それについては、それがすべてです」。そのまま覚えたい定番フレーズ。That's all I know. なら「知っているのはそれだけです」。

153 That's right.

そのとおり。／そうだった。 ジョー ⇒ p.130

★相手の言ったことに賛同するフレーズ。That's exactly right. なら「まったくそのとおり」。

154 That's the general idea.

そう考えるのが普通だ。 ジョー ⇒ p.76

★直訳は「それが一般的な考え方」だが、「そういうことなんだよね」や「まぁ、そういうことになるでしょう」といったニュアンス。

155 That's the stuff.

そうこなくちゃ。 ジョー ⇒ p.110

★期待とおりの相手の反応に対して言う。「そのとおり」「その意気だ」「いいぞ」といったニュアンス。That's the spirit. とも言う。

156 The best I ever met.

会った人の中で一番だ。 ジョー ⇒ p.186

★ You're the best person that I ever met. を簡潔に言ったフレーズ。カジュアルな口語。映画では the best liar の意味。The best I ever heard. なら「聞いたうちで最高」。

157 The chances of it being granted are very slight.

願い事がかなう見込みはほとんどないわ。 アン ⇒ p.194

★ the chances are は「その可能性は〜である」。being granted は「かなえられる」。slight は「わずかの」。The chances are slim. なら「可能性はわずかだ」。

158 The dizziness is getting worse.

めまいがひどくなってきました。 アン ⇒ p.76

★ dizziness は「めまい」。getting worse は「だんだんひどくなっていく」。My cold is getting worse. なら「風邪がひどくなってきた」。

159 The pleasure is mine.

こちらこそ嬉しく思います。 ジョー ⇒p.84

★感謝の言葉などに対して、「こちらこそ」「どういたしまして」。(It's) my pleasure. とも言う。With pleasure. なら快諾の表現で「喜んで」「いいですとも」。

160 There she goes again.

また始まりました。 伯爵夫人 ⇒p.48

★人の同じような言動にうんざりしたときの表現。ジョーもアービングに対して There you go again, Irving!（またやったな、アービングってば！⇒p.222）

161 There you are.

さあ、どうぞ。／ここにいたのか。／その調子。 ジョー ⇒p.76

★人に何かをすすめるとき、相手を見つけたとき、相手が自分の望む行動をしたときに使う。Here you are. と言えば、何かを差し出して「はい、どうぞ」。

162 There's lots of time.

時間はたっぷりある。 ジョー ⇒p.118

★lots of time で「たっぷりの時間」。a lot of time とも言う。lots of のほうがカジュアル。否定の場合は、I don't have much time.（あまり時間がない）と much がよく使われる。

163 There's something I want to tell you.

君に話したいことがある。 ジョー ⇒p.210

★There's something <u>that</u> I want to tell you. の that が省略。There's something (that) I want you to do. なら「君にやってほしいことがあるんだ」。

164 They were supposed to be inconspicuous.

彼らは目立たないはずだったのに。 大使 ⇒p.180

★were supposed to で「～するはずだったがしなかった」。I was supposed to attend the meeting. なら「会議に出席するはずだったのに」。be supposed to なら「～する予定」。

165 They'll be dry in a minute.

服はすぐに乾くわ。 アン ⇒p.206

★in a minute で「すぐに」。I'll be back in a minute. なら「すぐに戻ります」。

166 Think nothing of it.

気にしないでくれ。 ジョー ⇒ p.128

★お礼に対する受け答え。think nothing of で「～何とも思わない」。「お気遣いなく」「どういたしまして」「礼には及ばないよ」といったニュアンス。

167 This is not my problem.

これは僕の問題じゃない。 ジョー ⇒ p.72

★自分は関係がないと言うときのフレーズ。It's your problem. なら「あなたの問題です」。There is a problem. なら「問題があります」「困っています」。

168 This is very unusual.

これはとても珍しいことだわ。 アン ⇒ p.78

★ unusual は「異常な」「珍しい」。続けてアンは With my dress off, it's most unusual.（服を脱ぐなんて、きわめて珍しい）。

169 This must be classified as top-crisis secret.

これは最重要機密扱いとする。 大使 ⇒ p.82

★ classified で「分類された」「機密扱いの」。top-crisis secret は「最上の危機に関する機密」だが、一般には top secret と言う。This must be classified as confidential. なら「これは機密扱いにすること」。

170 Today's going to be a holiday.

今日は休みにするよ。 ジョー ⇒ p.152

★この is going to は「話し手の意志で～する」。Today's going to be a great day. と言えば「今日はいい日にするぞ」または（状況から）「今日はいい日になるぞ」の2通りの意味。

171 Wait till you see these!

これを見たら驚くぜ！ アービング ⇒ p.220

★直訳は「これらを見るまで待て！」。Wait till で「～をお楽しみに」「～したら驚くよ」。Wait till you see her. なら「彼女を見たら驚くよ」。

172 Wasn't any trouble.

大したことなかったよ。 ジョー ⇒ p.198

★先頭に It が省略。カジュアルな表現。not any trouble で「苦労しないで」⇒「楽々と」「たやすく」。It wasn't any problem. とも言う。

173 Well, it's you!

おや、君か！ ジョー ⇒p.148

★itは相手が分からないときに使う。ドアをノックされて「誰ですか？」ならWho is it?で、Who are you?とは言わない。

174 We've only just met.

僕たち会ったばっかりじゃないか。 ジョー ⇒p.126

★We've only justで「私たちは～したばかり」。We've only just begun.なら「私たちは始まったばかり」。

175 What a picture!

何という写真だ！ ジョー ⇒p.230

★Whatを使った感嘆文。What a wonderful world!なら「何と素晴らしい世界だ！」。

176 What are you guys up to?

お前たち何をたくらんでる？ 支局長 ⇒p.224

★このup toは「～をたくらんでいる」。guysは複数の男性または複数の男女を指す。It's up to you.と言えば「あなたしだい」。

177 What are you talking about?

何の話ですか？ ジョー ⇒p.218

★ジョーは話の内容にシラを切っている。そのままの意味で「何の話をしているんですか？」でも使える。

178 What are you trying to do?

何をするつもりだ？ アービング ⇒p.170

★be trying to doで「～しようと努める」。I'm trying to save money.なら「お金の節約に努めています」。

179 What did you say the name was?

お名前は何とおっしゃいました？ ジョー ⇒p.200

★相手の名前をもう一度聞くときの定番フレーズ。didとwasで時制が一致することに注意。What was your name again?とも言う。

180 What do you care?

何が気がかりだ？ 支局長 ⇒ p.100

★反語で「何も気にすることはないだろう」の意味。自分のことならWhat do I care?と言う。I don't care. と言えば「どうだっていいよ」。

181 What do you know!

こりゃ驚いた！ ジョー ⇒ p.62

★ What do you know about that!（ジョー⇒ p.156）の略で、相手の言動に驚いたときのフレーズ。「へぇー」「まさか」「そうなんだ」といったニュアンスがある。

182 What do you mean early?

早いってどういうことだ？ ジョー ⇒ p.56

★ What do you mean (by) のあとに単語をつけて「～とはどういう意味」。What do you mean. だけなら「どういう意味だ」（ジョー⇒ p.222）。What do you mean by that? なら「今言ったのはどういう意味？」。

183 What gives?

どういうことだ？ アービング ⇒ p.228

★直訳は「何が起きている？」⇒「どうしたんだ？」「どういうことだ？」。What's going on? や What's happening? と同じ意味。What went wrong?（何がうまくいかなかったの？）や What's the problem?（何が問題なの？）といった意味もある。

184 What kind of a newspaperman are you?

どんな新聞記者なんですか？ ジョー ⇒ p.220

★ニュアンスは「あなたはそれでも新聞記者ですか？」。What kind of a question is that? なら「それはどういった質問ですか？」。

185 What now?

さて、これから何を？ アービング ⇒ p.194

★この場合は What do we do now?（これからどうする？）の略。Now what? とも言う。

186 What shall we do next?

次は何をいたしましょうか？ ジョー ⇒ p.178

★ shall を使えばていねいな表現になる。What shall I do next? なら「次はどうしたらよろしいでしょうか？」。普通は What do we/I do next?

187 What time is it?

今何時ですか？

アン ⇒p.118

★What time is it now? とは言わない。刻々と時間を知りたがっている感じになる。Do you have the time? と言えば「時間分かりますか？」で、「今何時ですか？」の意味で使える。

188 What would you do for five grand?

5000ドルあればどうする？

ジョー ⇒p.170

★What would you do...? は仮定法で「何をするだろうか？」。What would you do if you were me? なら「あなたが私だったらどうしますか？」。grand は「1000ドル」のことで、five grand は「5000ドル」。

189 What would you like to drink?

お飲み物は何がよろしいですか？

ジョー ⇒p.154

★What would you like to で「何を～するのがお好みでしょうか」とていねいに聞くフレーズ。What would you like to have? なら「お食事は何がよろしいでしょうか？」「何をお召し上がりになりますか？」。

190 What's that got to do with it?

それとこれと何の関係がある？

アービング ⇒p.170

★have/has (got) to do with で「～と関係がある」。What do I have to do with it? なら「それと私と何の関係があるの？」。

191 What's the idea?

どういうつもりだ？

アービング ⇒p.222

★What's the (big) idea? で「何をしようとしているのか？」「なぜそんなことをするのか？」。That's the idea. なら「そうそういい感じ」。

192 What's the matter?

どうした？

支局長 ⇒p.92

★What's wrong? とも言う。What's the matter with you? と言うと「君、どうかしてるんじゃないか」ととがめるフレーズになる。

193 What's your hurry?

何で急いでいるの？

ジョー ⇒p.118

★「急ぐことはないじゃない」といったニュアンス。What's the hurry? や Why all the hurry? とも言う。There's no hurry. なら「別に急がなくてもいいよ」。

194 What's your name?

君の名前は？ ジョー ⇒ p.116

★普通は、こういきなり聞くのは失礼。I'm Aki. And you are....? と聞くのが自然。

195 Where are you going now?

これからどこへ行くの？ フランチェスカ ⇒ p.180

★「今、どこへ行っているの？」という疑問文。Where are you going to go now? と聞けば、「今から、どこへ行くつもり？」と相手の意志をたずねるフレーズになる。

196 Where do you live?

どこに住んでいるの？ ジョー ⇒ p.66

★現在の住まいをたずねる場合は現在形を使う。答えも I live in Tokyo. と現在形で言う。I'm living in Tokyo. と言うと、「今のところ東京住まいです」の意味になる。

197 Where do you want to go?

どこに行きたいの？ ジョー ⇒ p.66

★ do you want to...? は相手のしたいことをストレートに聞くフレーズ。When do want to meet? なら「いつ会いたいの？」。Where do you want to meet? なら「どこで会いたいの？」。

198 Why can't I sleep in pajamas?

なぜパジャマで寝てはいけないの？ アン ⇒ p.38

★ Why can't I...?（どうして私はできないの？）は、不満やイライラを表す。Why can't you be quiet? なら「何で静かにできないのよ」。

199 Why don't you take a little time for yourself?

自分のために少し時間を取ったら？ ジョー ⇒ p.150

★ Why don't you...? はカジュアルな提案。ジョーは、Why don't you go home and shave!（家に戻ってヒゲを剃ったらどうだ！⇒ p.222）とも言っている。

200 Why not?

それは、いいね。 アービング ⇒ p.194

★相手の提案に気軽に承諾するフレーズ。Care for some more?（もっといかが？）などに対して Why not?（いいですね）といった使い方をする。

201 Will you excuse us for a minute?

僕たち、ちょっと失礼します。 ジョー ⇒ p.166

★ Will you...? は、家族や親しい人に対する依頼のフレーズ。excuse us で「私たちを許して」。Will you do me a favor? なら「お願いを聞いて」。

202 Will you help me get undressed, please?

脱ぐのを手伝ってくださる? アン ⇒ p.76

★ help me get undressed で「私が脱ぐのを手伝う」。Will you help me find it? なら「探すのを手伝って」。

203 Will you let me go?

放してくださらない? アン ⇒ p.204

★この Will you...? には「～してくれる意志があるか?」というニュアンスがある。依頼表現でもストレート。let me go は「私を放して」。

204 Would you be so kind as to tell me where I am?

恐れ入りますが、ここがどこなのか教えていただけますか? アン ⇒ p.114

★非常にていねいな依頼表現。普通は Excuse me, but can you tell me where I am? または Excuse me, but where am I? で十分。be so kind as to は「親切にも～する」。

205 Would you care for a cigarette?

タバコはいかがでしょうか? アービング ⇒ p.176

★ Would you care for...?（～はいかがでしょうか?）は。相手に何かをすすめるときのかなりていねいな表現。Would you care for some coffee? なら「コーヒーはいかがでしょうか?」。

206 Would you care to make a statement?

ご見解を発表なさいますか? ジョー ⇒ p.62

★ Would you care to...?（～するのはいかがでしょうか?）は、相手に何かを促すときのかなりていねいな表現。Would you care to join us? なら「私たちとご一緒しませんか?」。statement は「声明」「発表」「言明」。

207 Would you like a cup of coffee?

コーヒーはいかがですか? ジョー ⇒ p.118

★ Would you like...?（～はいかがですか?）は、相手に何かをするめるときのていねいな表現。Would you like some more? ならコーヒーなどを「もっといかがですか?」。

208 You asked for plain clothes.

平服をお望みでしたから。 将軍 ⇒ p.180

★ ask for は「～を求める」。plain clothes は「普段着」「平服」「私服」。You asked for it. と言えば「君がそれを求めたんだ」⇒「自業自得だ」。

209 You can afford it.

金があるからな。 アービング ⇒ p.178

★ afford は「お金や時間などの余裕がある」。I can't afford it. なら「買う余裕がないよ」。

210 You can get away with anything.

何でも見逃してくれるんだ。 ジョー ⇒ p.184

★ get away で「逃げる」「脱出する」。この You は一般に「人」を指す。You never know. なら「人は決して分からない」⇒「誰にも分からないよ」「まだどうなるか分からないよ」。

211 You can handle the rest.

後は自分でできるだろう。 ジョー ⇒ p.76

★ You can... （あなたは～できる）は、相手にその能力があるというフレーズ。You can get over it. なら「君は立ち直れるよ」。handle は「事を処理する」。

212 You don't just run away from school for nothing.

人は何も（理由が）ないのにただ学校から逃げ出したりしないよ。 ジョー ⇒ p.148

★この You は一般に「人」を指す。Life doesn't always turn out the way you plan. なら「人生は計画どおりにはいかないものだ」。

213 You don't know how delighted I am to meet you.

僕のほうこそお会いできて、どんなに嬉しいことか。 ジョー ⇒ p.116

★「会えてとても嬉しい」をかなり強調したフレーズ。You don't know how much I love you. なら「私があなたをどんなに愛しているか分からないでしょうよ」。

214 You don't mind if I just borrow it, do you?

ちょっと借りてもいいよね。　ジョー ⇒ p.138

★ You don't mind if I..., do you? は「私が～しても気にしないでしょ、そうでしょ？」⇒「～してもかまわないよね」。普通に聞く場合は、(Do you) mind if I just borrow it?

215 You got any money?

いくらかお金は持ってる？　ジョー ⇒ p.62

★ Have you got any money? の略でカジュアルな表現。any money は「いくらかのお金」。お金を持っている可能性が高い場合は、You got some money? と聞く。

216 You have lovely things.

ご立派なものをお持ちです。　伯爵夫人 ⇒ p.38

★ You have は「あなたは～を持っている」。You have beautiful hair. なら「美しい髪をお持ちですね」。lovely は「うっとりするほど美しい」「素晴らしい」。

217 You may sit down.

お掛けなさい。　アン ⇒ p.60

★ may は目上から目下に許可するときに使う。相手が誰でもていねいに言うなら Would you like to sit down?（お掛けになりますか？）で、普通は、(Please) have a seat.（どうぞお掛けください）で十分。

218 You must be out of your mind!

気が狂ったな！　アービング ⇒ p.232

★ You must be は「あなたは～であるに違いない」。out of one's mind で「気が狂った」。その人の言動がおかしいときに使う。

219 You should always wear my clothes.

僕の服をいつも着ていたらいいよ。　ジョー ⇒ p.208

★ You should は「～したほうがいいよ」と相手を思いやりアドバイスするフレーズ。ややストレートなので文頭に Maybe をつけるとやわらかく響く。Maybe you should call her.（彼女に電話したほうがいいかも）などと使う。

220 You take the cab.

君がタクシーに乗りなさい。　ジョー ⇒ p.62

★ cab は taxi のこと。the cab で「ここにいるタクシー」。Let's take a cab. なら「タクシーに乗ろうよ」。

221 You want to have a look at them?

（写真を）見てみるかい？　アービング ⇒ p.228

★文頭の Do を省略したカジュアル表現。have a look at は look at と同じ意味だが、口語的。Have a quick look at them? なら「これらをちょっと見て」。

222 You were great back there.

さっきは大活躍だったね。　ジョー ⇒ p.206

★ You were は「あなたは〜だった」で過去の状態を表す。great は「すばらしい」。That was great. なら相手の言動などが「すばらしかった」。back there は「あそこの所で」。

223 You weren't so bad yourself.

あなたもなかなかよかったわ。　アン ⇒ p.206

★直訳は「あなたも、そんなには悪くはなかった」だが、「なかなかよかった」という意味。It's not bad at all. なら「結構いけるよ」。

224 You won't believe this, but

信じられないでしょうが、　アン ⇒ p.176

★定番フレーズ。this は「これから話すこと」を指す。won't は will not の略。You won't believe this, but I saw it. なら「信じられないでしょうが、見たのです」。

225 You'd better get to sleep.

君は寝たほうがいい。　ジョー ⇒ p.78

★ You'd better は You had better のことで「〜しないと困ったことになる」というニュアンスがある。相手に対する強い勧告や警告。You better come here and dry them off（こっちに来て乾かしたほうがいいぞ。ジョー⇒ p.222）と口語では had が省略されることも多い。やわらかく言うには Maybe you should get to sleep.

226 You'll be sorry!

後悔するぞ！　ジョー ⇒ p.110

★この sorry は「後悔する」。そのまま覚えたい定番フレーズ。I'm sorry. と言えば「すみません」の意味のほか、「お気の毒に」の意味もある。

227 You're just in time.

ちょうど間に合ったよ。　ジョー ⇒ p.202

★「ちょうどいいときに来た」というニュアンス。in time で「間に合う」。on time なら「時間きっかりに」。I got there on time. と言えば「時間きっかりに着いたよ」。

228 You're not that drunk.

それほど酔ってはいないだろ。 ジョー ⇒p.66

★ thatは「それほど」という程度を表す。drunkは「酔っ払った」。I'm not that hungry.なら「そんなにお腹がすいていない」。

229 You're welcome.

どういたしまして。 アービング ⇒p.160

★お礼に対する返事の定番フレーズ。My pleasure.とも言う。カジュアルに言うならSure.やNo problem.

230 You've had quite a day.

大変な1日だったね。 ジョー ⇒p.208

★ You've hadは現在完了形で「あなたは～を持った・過ごした」（結果を表す）。You've had one drink too many.なら「ちょっと飲みすぎたね」。

映画観るだけマスターシリーズ

『ローマの休日』を観るだけで英語の基本が身につくDVDブック

発行日　2016年6月2日　第1刷
発行日　2017年8月24日　第16刷

著者　藤田英時

デザイン　矢部あずさ（bitter design）
編集協力　定者和也
校正　小林奈々子（A to Z）、豊福実和子
協力　ページ・ワン

編集担当　舘瑞恵
営業担当　熊切絵理
営業　丸山敏生、増尾友裕、石井耕平、伊藤玲奈、綱脇愛、櫻井恵子、吉村寿美子、田邊曜子、矢橋寛子、大村かおり、高垣真美、高垣知子、柏原由美、菊山清佳、大原桂子、寺内未来子
プロモーション　山田美恵、浦野稚加
編集　柿内尚文、小林英史、栗田亘、辺土名悟、奈良岡崇子、村上芳子、及川和彦
編集総務　千田真由、髙山紗耶子、高橋美幸
メディア開発　池田剛
講演事業　斎藤和佳、高間裕子
マネジメント　坂下毅
発行人　高橋克佳

発行所　株式会社アスコム

〒105-0003
東京都港区西新橋2-23-1　3東洋海事ビル
編集部　TEL：03-5425-6627
営業部　TEL：03-5425-6626　FAX：03-5425-6770

印刷・製本　中央精版印刷株式会社

Printed in Japan ISBN 978-4-7762-0908-9